# *VITÓRIA*

*ANKA MUHLSTEIN*

# *VITÓRIA*

## *Retrato da rainha como moça triste, esposa satisfeita, soberana triunfante, mãe castradora, viúva lastimosa, velha dama misantropa e avó da Europa*

Tradução:
MARIA LUCIA MACHADO

*1ª reimpressão*

COMPANHIA DAS LETRAS

Título original:
*Victoria: portrait de la reine en jeune fille triste, en épouse comblée, en souveraine triomphante, en mère castratrice, en veuve abusive, en douairière misanthrope et en grand-mère de l'Europe*

Capa:
*Moema Cavalcanti*

Foto de capa:
*A rainha Vitória em 1885.* Collection Sirot-Angel

Preparação:
*Otacílio Nunes Júnior*

Revisão:
*Maria Regina Machado*
*Isabel Jorge Cury*

Dados Internacionais de Catalogação na Publicação (CIP)
(Câmara Brasileira do Livro, SP, Brasil)

Muhlstein, Anka
Vitória : retrato da rainha como moça triste, esposa satisfeita, soberana triunfante, mãe castradora, viúva lastimosa, velha dama misantropa e avó da Europa / Anka Muhlstein ; tradução Maria Lucia Machado. — São Paulo : Companhia das Letras, 1999.

Título original: Victoria.
Bibliografia
ISBN 85-7164-869-7

1. Rainhas — Grã-Bretanha — Biografia 2. Vitória, Rainha da Grã-Bretanha, 1819-1901 I. Título.

99-0425 CDD-941.081092

Índices para catálogo sistemático:
1. Grã-Bretanha : Rainha Vitória : História : Biografia 941.081092
2. Rainha Vitória : Grã-Bretanha : História : Biografia 941.081092
3. Vitória : Rainha da Grã-Bretanha : História : Biografia 941.081092

1999


EDITORA SCHWARCZ LTDA.
Rua Bandeira Paulista, 702, cj. 72
04532-002 — São Paulo — SP
Telefone: (011) 866-0801
Fax: (011) 866-0814
e-mail: coletras@mtecnetsp.com.br

*SUMÁRIO*

*Para Louis*

Sem a rainha Vitória, o curso do século XIX britânico teria sido igualmente soberbo e glorioso, mas lhe teria faltado esse perfume de perenidade que constituiu sua legenda. No entanto, por pouco Vitória não existiu: literalmente concebida, por encomenda, para continuar a dinastia, ela jamais teria vindo à luz sem a crise de sucessão que abalou a casa de Hannover.

Os Hannover reinavam sobre a Grã-Bretanha desde 1714. Esses reis alemães haviam se assimilado gradualmente à Inglaterra e, sob o reinado de George III, o vitorioso inimigo de Napoleão I, o reino tornou-se a primeira potência da Europa e, portanto, do mundo. Contudo, a família real não deixava de passar por perturbações internas. Desde 1811, George III, vítima de desordens mentais cada vez mais acentuadas, encerrado em Windsor, teve de ceder o lugar a seu filho primogênito, que tomou então o título de Príncipe Regente. Este desempenhava convenientemente suas funções, embora o povo lhe reprovasse o rigor para com sua mulher Caroline, que ele se recusava a deixar entrar no palácio, e suas más relações com a filha Charlotte, única herdeira da coroa. A jovem princesa desposou, em 1816, contra a vontade do pai, um príncipe alemão, Leopold de Saxe-Coburg, que conseguiu restabelecer uma aparência de paz na família. Sabia-se que o jovem casal fizera um casamento por amor e, à sua passagem, a multidão aplaudia. Um futuro calmo e feliz lhes parecia assegurado; a jovem mulher esperava um filho quando aconteceu a catástrofe: Charlotte morreu de parto e seu bebê não sobreviveu.

O trono achava-se sem sucessor. Fato inacreditável. George III tivera quinze filhos e, no entanto, a extinção ameaçava sua dinastia! Nenhuma de suas filhas tivera filhos, e apenas três entre os sete príncipes herdeiros tinham mulher legítima, mas já sem nenhuma esperança de serem pais. Restavam, porém, quatro garanhões — dos quais o mais jovem tinha já 43 anos — para a corrida à mulher e ao filho. Só um se recusou a dar a partida: o duque de Sussex. Os três outros atiraram-se, atrelados a três princesas alemãs. Guilherme, o duque de Clarence e futuro Guilherme IV, escolheu Adelaide de Saxe-Meiningen; Adolphus, o duque de Cambridge, uma princesa de Hesse; e o duque de Kent, futuro pai da rainha Vitória, chorando por abandonar sua "French lady", Julie de Saint-Laurent, que o contentava havia 27 anos, desposou uma jovem viúva, princesa de Leiningen, já mãe de dois filhos crescidos e que era a irmã caçula do desafortunado viúvo consorte, Leopold de Saxe-Coburg.

Em 1819, apareciam os primeiros bebês da sucessão. Vitória, nossa Vitória, filha do duque de Kent e da ex-princesa de Leiningen, achava-se em terceira posição quando a morte prematura de suas duas primas do ramo primogênito lhe deu o primeiro lugar. Ela iria conservá-lo durante mais de oitenta anos.

A sucessão estava salva por pouco. O drama não se reproduziria tão cedo. Vitória iria repovoar vigorosamente sua casa. À sua morte, deixaria o trono assegurado por três gerações: um filho, um neto e um bisneto se manteriam prontos para a substituição. De seus nove filhos, ela teve trinta e cinco netos, entre os quais o imperador da Alemanha, a imperatriz da Rússia, as rainhas da Grécia, da Noruega e da Romênia. Na geração seguinte — ela conheceu trinta e sete de seus bisnetos — seus descendentes eram encontrados na Espanha, na Dinamarca, na Suécia, na Iugoslávia... Frágil herdeira de uma casa moribunda, ela tecera novamente uma teia que cobria a Europa. Contraste mais impressionante ainda: os predecessores de Vitória se haviam distinguido fosse por seus caprichos e suas loucuras, fosse por seu desinteresse pela coisa pública, ao passo que ela, desde sua subida ao trono, compreendeu seus direitos e seus deveres. Graças às suas qualidades pessoais, contribuiu para definir um novo tipo de monarca, cujo modelo transmitiu a seus sucessores. Sua seriedade levou-a a usar ativamente seu direito à informação e à prevenção; seu bom senso lhe permitiu evitar o impasse nos casos em que não estava de acordo com seus ministros e seu gosto pela calma e pela intimidade mudou radicalmente a imagem popular da família real.

A grande contribuição social da rainha Vitória foi a afirmação da família em termos que nos são acessíveis. Ela gostava de repetir uma reflexão de Persigny, o ministro de Napoleão III: ele lhe dissera que ela "popularizara os bons casamentos", e dissera com justeza. Vitória deu títulos de nobreza a sentimentos que até então haviam florescido apenas nas classes médias. Por isso, as alianças e a passagem do privado ao público adquirem com ela um sabor novo. Em outros tempos, em outras famílias, o casamento de um príncipe podia proporcionar uma vantagem política, mas acarretava uma ruptura no plano pessoal. No caso de Vitória, não era assim. Uma filha casada, mesmo que com o futuro imperador da Alemanha, não escapava à sua autoridade, à sua afeição muitas vezes constrangedora, nem à sua curiosidade.

Ela fez mais: marcou seu tempo. A Inglaterra vitoriana é o país rural, aristocrático e insular dos anos 1840 ou a potência industrial e imperialista de nossos avós? A extraordinária longevidade de Vitória deu uma unidade, pelo menos nominal, a esse século XIX diverso e fervilhante. Sua subida ao trono, em 1837, marcou o fim do século XVIII, e sua morte, em 1901, parece abrir as comportas do nosso. Vitória fechou os olhos bem a tempo de não ver a primeira revolução russa nem as primícias da Grande Guerra. Mas a Inglaterra vitoriana não se define apenas por uma cronologia; para as gerações seguintes, ela foi antes de tudo um modo de vida, uma moral com certa dose de hipocrisia mas feita de boa consciência, por muito tempo encarnada pela rainha — pelo menos por sua imagem pública, reflexo bem insípido de sua verdadeira personalidade.

Ora, a rainha revelou-se, sem disfarces e muitas vezes com crueldade, em suas cartas e em seu diário. Alguns de seus papéis pessoais foram publicados, os outros estão classificados nos Arquivos reais. Sua leitura revela uma "Vitória por ela mesma" completamente inesperada: seu vigor, sua irreprimível liberdade de expressão, uma singular mistura de abertura de espírito e de obstinação, de bom senso e de falta de lógica fazem dela uma personagem muito menos vitoriana do que se imaginaria. As idéias preconcebidas não resistem a isso e surge a questão de saber o que o vitorianismo deve realmente a Vitória.

# 1

# *A PEQUENA RAINHA*

*As desventuras de Vitória — Conselhos de um tio — Enfim rainha, enfim só — Lord Melbourne ou o maravilhoso ministro — O casamento me dá medo — O Príncipe Encantado*

"Tive uma infância muito infeliz — precisava reprimir sentimentos muito violentos — não tinha irmãos nem irmãs perto de mim — nunca tive pai — circunstâncias infelizes fizeram com que não me sentisse à vontade com minha mãe e não me encontrasse, com ela, em situação de intimidade e de confiança [...]"[1] Em algumas linhas, Vitória resumia toda a tristeza de sua primeira juventude, pela qual permaneceu tão profundamente marcada que jamais felicidade alguma lhe pareceu bastante intensa para compensar a amargura de seus primeiros passos.

Ela não exagerava, aliás. De fato, seu pai morreu alguns meses depois de seu nascimento. Seu avô, o velho rei insensato, George III, seguiu-o na sepultura com poucos dias de distância e o Príncipe Regente — o tio-Rei, como o chamava Vitória — tornava-se enfim George IV. Ora, ele não fez nada para ajudar sua cunhada, a duquesa de Kent. Não a suportava e não se deixou comover pelo embaraço em que a deixava a morte do marido. Literalmente sem um tostão, isolada naquele país que se tornara o seu mas que ela sentia hostil e cuja língua não conseguia dominar, ficou tentada por um momento a retornar para casa, na Alemanha. Seu irmão, Leopold, veio então em seu auxílio.

Depois da morte de sua mulher, a princesa Charlotte, ele ficara na Inglaterra, conservara sua morada em Claremont e seus proventos, que se elevavam a 50 mil libras por ano. Prudente, sério, de uma rara inteligência, modelo do príncipe esclarecido, ele aproveitou seus anos de semi-retiro para absorver perfeitamente os princípios do governo constitucional. Foi-lhe oferecido o trono da Grécia. Recusou-o. Esperava ser nomeado regente no caso de sua sobrinha chegar prematuramente ao poder? Não se pode afirmá-lo. Mas é verdade que tomou nas mãos o destino da menina. Comprometeu-se a depositar uma renda anual para a duquesa de Kent, ajudou-a a reorganizar sua existência e, sobretudo, dissuadiu-a de abandonar a Inglaterra. O duque de Kent, muito judiciosamente, fizera sua filha nascer no país sobre o qual ela reinaria um dia. Era preciso que permanecesse ali.

O rei não ousou recusar à duquesa o direito de morar em Kensington. Esse palácio, situado perto do Hyde Park, quase campestre com seu grande parque e seu belo tanque, era ocupado por vários dos filhos de George III, em apartamentos separados mas de onde era possível vigiar-se estreitamente. A duquesa instalou-se, com seus três filhos — tinha um menino, Charles, e uma menina, Feodora, de seu primeiro casamento com o príncipe de Leiningen —, em aposentos do andar térreo, "horrivelmente escuros e sinistros" segundo Vitória, que evocava, muitos anos mais tarde, as alegrias duvidosas da caça às baratas a que tinham de entregar-se todos os dias. As dificuldades financeiras, acrescentadas à estupidez da duquesa, explicavam a austeridade e a estreiteza de sua vida. A Casa incluía apenas dois personagens importantes: a governanta alemã das duas filhas, a baronesa Lehzen, uma luterana estrita, totalmente devotada às crianças, e o Controlador, ex-escudeiro do duque de Kent, indivíduo pouco confiável, encarregado das finanças da família. Esse pequeno mundo vivia recolhido em si mesmo. As relações com a corte eram quase inexistentes. Nada de amigos. Nada de parentes afetuosos, salvo Leopold, que vinha pontualmente, toda quarta-feira, dar uma olhada nessas damas.

O casamento de sua meia-irmã Feodora com o príncipe de Hohenlohe-Langenburg e sua partida para a Alemanha tornaram a vida de Vitória mais morosa ainda. Quando pequena, não via literalmente ninguém fora as filhas de Conroy. Falta de sorte: ela as detestava. Apenas as visitas a Claremont, na casa do tio Leopold, iluminavam a monotonia dos dias, como o demonstra uma carta de Feodora a Vitória:

Obrigada, obrigada, caríssima Vitória, por tua gentil carta do 7, datada desse querido Claremont. Como compreendo que gostes de voltar para lá [...]; para mim também, esse lugar evoca os raros dias agradáveis de minha juventude. Estava sempre em lágrimas ao deixar Claremont por Kensington. Quando me debruço sobre esses anos dos catorze aos vinte anos, que deveriam ter sido os mais felizes de minha vida, só posso ter piedade de mim. Não ter aproveitado os prazeres da juventude não é nada, mas ter sido privada de todas as relações, não ter tido um pensamento alegre nessa existência sinistra que era a nossa, isso é duro [...]. Escapei de alguns anos de prisão ao me casar, mas tu, minha pobre querida, tiveste de suportá-los sozinha [...].[2]

Portanto, Leopold tornou-se bem depressa o recurso. Afetivamente, intelectualmente, ele substituiu o pai e Vitória não perdeu com a troca. O duque de Kent fora um militar tão brutal com seus homens que o comando lhe havia sido retirado; seus tios paternos, reacionários e bruscos, nunca haviam hesitado em apregoar tão estrepitosamente suas opiniões políticas que tinham ganho com isso mais impopularidade do que influência. Vitória sempre lhes demonstrou grande polidez, mas a admiração, a afeição verdadeira, a confiança foram, sem restrições, para Leopold. Desde sua primeira carta — tinha então nove anos — ela se afirma e sabe mostrar quanto é apegada a ele:

Palácio de Kensington, 25 de novembro de 1828.

Meu tio querido, envio-vos meus melhores votos por vosso aniversário; penso com freqüência em vós e espero rever-vos logo, pois vos amo muito [...]. Faz muito calor na Itália? Aqui está tão ameno que saio todos os dias. A saúde de Mamãe é aceitável e a minha, muito boa. Vossa sobrinha afeiçoada, Vitória.

P.S. Estou muito zangada convosco, meu tio, pois não me escrevestes uma única vez depois de vossa partida, há bastante tempo.

As cartas do tio são afetuosas, sempre instrutivas. Ele tem a alma de um professor e, enquanto demonstra à menina uma ternura atenta, esforça-se, antes de tudo, em formá-la, aconselhando-a em primeiro lugar sobre seus estudos e suas leituras e, mais tarde, iniciando-a nas sutilezas da vida política. Consegue inculcar-lhe ao mesmo tempo o respeito pelo liberalismo e a necessidade de formar um julgamento pessoal. A relação deles é muito particular na medida em que é absolutamente pessoal. Suas relações não devem nada aos laços entre Leopold e a duquesa de Kent, que bem depressa se tornaram tensos. Leopold não aprovava sua desordem financeira nem sua visão curta, e criticava a crescente influência de Conroy; a duquesa irritava-se com a lentidão de seu irmão — ele tinha a reputação de pesar tão demoradamente os prós e os contras que o haviam apelidado de Senhor Passo a Passo — e, sobretudo, mostrava-se chocada com sua ligação oficial com uma atriz alemã. As coisas deterioraram-se a ponto de Leopold acabar por não ir mais a Kensington. Mas isso não influenciou Vitória em nada. Demonstrando um julgamento notavelmente independente para uma criança tão jovem e tão isolada, ela conservou o hábito de abrir-se com ele com grande franqueza e de seguir seus conselhos muito precisamente.

Ela estava com onze anos quando ele aceitou tornar-se rei dos belgas, em 1831. No ano seguinte, ele casou-se novamente, com a princesa Louise, filha primogênita de Luís Filipe. Consciente de seus deveres para com a sobrinha, não deixou suas novas responsabilidades políticas e familiares afetarem suas trocas. De resto, como não imaginar que ele avaliava a importância política dessa união íntima com a futura rainha da Inglaterra?

De Bruxelas, portanto, continuou a guiá-la, analisando para ela uma situação política muitas vezes confusa, insistindo sempre na sabedoria, na moderação e na prudência. Ela, por seu lado, em cartas que evidentemente não eram mostradas nem à mãe nem à governanta — isso constitui, aliás, um traço característico de Vitória: uma carta é dirigida apenas a uma única pessoa e não tem de ser lida a esposo, a pais nem a filho —, escrevia-lhe de coração aberto e fazia-lhe todas as perguntas que lhe passavam pela cabeça, sem nunca temer mostrar-se estúpida ou ignorante. Não há a menor pose em Vitória, e essa completa ausência de afetação talvez seja uma de suas qualidades mais fascinantes. Assim, não hesita em pedir detalhes sobre a nova tia, essa jovem tia, sete anos mais velha que ela. E Leopold responde com uma descrição franca e detalhada: "[...] ela é particularmente bem informada e muito inteligente; fala e escreve inglês, alemão e italiano [...]. É mais ou menos da altura de Feodora, com cabelos muito loiros, olhos azul-claros, uma expressão cheia de doçura, de inteligência e de bondade. Um nariz longo e um pouco curvo e uma boca pequena [...]. Monta muito bem a cavalo [...]. É excelente na arte de dançar. Infelizmente, não gosta muito de música, embora toque harpa; imagino que a preguiça tem algo a ver com isso. Existe já entre nós uma grande confiança e afeição".[3]

Notemos a confiança, provada pela leve crítica ("a preguiça tem algo a ver com isso") e pela ausência de qualquer sentimentalismo na análise dos sentimentos. O tom adulto dessa correspondência é sublinhado pelo fato de que está concentrada nos assuntos sérios, nos estudos, nas leituras.

As línguas estrangeiras constituíam o elemento mais importante da educação de Vitória. Educada entre uma mãe que nunca esteve à vontade em inglês e uma governanta alemã, ela, no entanto, não era bilíngüe, pois não tinha o direito de utilizar o alemão em casa, a tal ponto se temia que não fosse considerada bastante inglesa para sua situação. Se aprendeu a exprimir-se correntemente em alemão, nunca esteve segura de sua língua escrita. Durante todo o seu reinado, foi mantido um posto de secretário alemão para reler as cartas que dirigia à sua numerosa parentela germânica. Em compensação, falava e escrevia tão bem em francês que pôde, mais tarde, manter uma correspondência importante com Luís Filipe e Napoleão III sem a ajuda de ninguém. O italiano, aprendeu-o cantando, com Lablache, o mais célebre tenor de seu tempo, que lhe deu aulas durante mais de vinte anos, e indo o mais freqüentemente possível à Ópera. "Adoro música", declarava ela a Leopold. Ministravam-lhe igualmente cursos de filosofia, de literatura e de história. Ela montou uma coleção de autógrafos, ajudada pelo tio, que lhe enviou uma bela carta de Luís XIV, sua "grande admiração", diz ela, agradecendo-lhe, e que conseguiu, a seu pedido, autógrafos de Mme. de Sevigné e de Racine. Suas leituras eram sérias, muito sérias; ela afirmava nunca ter lido romances antes do casamento. Seu tio a encoraja nesse caminho, fazendo-a ver o interesse que retirará do estudo da história: "Em vossos momentos de lazer", escreve-lhe ele, "espero que estudeis um pouco; parece-me que a história deveria ser vosso principal tema de estudo. Ser-vos-ia difícil aprender o comportamento e os usos dos homens fora dessa considerável fonte de saber [...]",[4] e ele prossegue recomendando-lhe ater-se mais particularmente às Memórias, em especial às do "grande e bom Sully", que ele se propõe a fazer chegar a ela "embora não tenham sido precisamente escritas para moças". Em suas respostas, ela se mostra dócil, grata pelos "sábios e excelentes conselhos de seu tio querido", e não hesita em lhe fazer longos relatórios detalhados sobre si mesma, sem receio de cansá-lo, a tal ponto está certa "do grande interesse que ele tem por seu bem-estar".

É evidente que essa correspondência proporciona um reconforto inapreciável a Vitória em um período em que sua mãe cria-lhe complicações insolúveis. Os problemas que ela lhe causa são a um só tempo políticos e pessoais. A duquesa não fez nada, bem ao contrário, para melhorar suas relações com a corte. Suas relações com Guilherme IV, que sucedeu seu irmão George IV em 1830, são detestáveis e põem Vitória numa situação desagradável: enquanto o rei e a rainha lhe testemunham uma grande gentileza, ela é obrigada a alinhar-se à sua mãe e manter-se a distância. O menor sorriso provoca tempestades maternas. "O que quer que fizesse, eu era sempre repreendida", escreverá ela mais tarde à sua filha. O isolamento de sua posição pesa-lhe e teria sido nefasto se seu tio não a houvesse iniciado na técnica do governo e no conhecimento das questões públicas. A duquesa era cada vez mais estreitamente submissa a seu controlador, Sir John Conroy. Ora, este, ambicioso e inteligente, para manter intacta sua influência fez o possível para envenenar as relações entre a duquesa e a família real. Ele era em grande parte responsável pelo isolamento de Vitória e pelo estado deplorável das finanças de sua mãe. Além disso, uma certa vulgaridade, uma sem-cerimônia chocante, uma pitada de donjuanismo o tornavam perfeitamente desagradável. Vitória o detestava, talvez em razão de sua demasiada familiaridade com sua mãe e com certeza porque ele se opunha constantemente aos projetos de sua governanta querida, sua mãe de coração, sua única amiga, a baronesa Lehzen. Conroy tentara mesmo que fosse despedida, mas a astuciosa Lehzen, bem aconselhada por Leopold, soubera arranjar apoios bastante poderosos na corte para resistir a esse ataque. Nessa minúscula família, dois grupos, crispados, confrontavam-se a uma só vez no detalhe e no essencial. Luta surda, pois Vitória nunca tentou fazer essas desavenças explodir às claras. Só Leopold era mantido a par.

Em 1835, um verdadeiro drama desenrolou-se nos corredores de Kensington. Com toda a evidência, o rei estava morrendo: a questão era saber se resistiria até os dezoito anos de Vitória ou se seria preciso preparar-se para uma regência. Sir John Conroy, pouco preocupado com sua própria situação na eventualidade de uma regência da duquesa, queria garantias de Vitória no caso de ela chegar plenamente ao poder. Ela acabava de recuperar-se de uma perigosa tifóide quando Sir John, armado de penas e de papel, fez-se anunciar em seu quarto. Vinha extorquir-lhe a promessa escrita de nomeá-lo secretário privado. Nada seria mais fácil, pensava ele. Vitória não tinha a reputação de ser muito inteligente; era fraca, isolada, tímida. Mas tinha caráter e, para grande surpresa de Sir John, pela primeira vez serviu-se dele. Recusou absolutamente prometer o que quer que fosse e saiu vitoriosa de uma cena tempestuosa. Três anos mais tarde, ainda se vangloriava disso a seu primeiro-ministro, Lord Melbourne. Enquanto isso, suas relações com a mãe foram envenenadas e assim permaneceram por muito tempo. A atmosfera de seu círculo íntimo pesou-lhe mais ainda: ela dera prova de sua força, de sua retidão, de seu julgamento pessoal, mas não ganhara sua independência: continuava a dormir no quarto da mãe e a testemunhar-lhe todas as marcas externas de respeito.

De longe, Leopold vela, julga e vai ajudar sua sobrinha abrindo-lhe o futuro. Ele sempre pensara em casá-la com seu primo irmão, Albert, filho de seu irmão mais velho, o chefe da família Saxe-Coburg, e considerava chegado o momento, a despeito da oposição do rei da Inglaterra, que se inclinava para uma aliança com os Orange, de organizar um encontro entre os dois jovens. Para a fúria do rei dos belgas, a corte tentou impedir a visita do príncipe Albert e de seu irmão Ernest. Leopold não aceitou isso passivamente e sacudiu energicamente sua sobrinha:

> Laeken, 13 de maio de 1836.
>
> Minha criança querida [...] estou completamente aturdido pela conduta de vosso velho tio, o rei [...]. Ainda ontem, recebi uma comunicação semi-oficial da Inglaterra deixando-me entender ser altamente desejável que a visita de vossos parentes não ocorra este ano — o que me dizeis? A parentela, sabe Deus em que grau, da rainha e do rei deve ir em cardumes e ditar lei no país cuja entrada é impedida a vossos primos, e isso quando toda a vossa família, como sabeis, sempre se mostrou muito respeitosa e benevolente com relação ao rei. Jamais ouvi dizer ou vi semelhante inconveniência, e espero que isso vá sacudir-vos um pouco; a escravidão

está agora abolida até nas colônias britânicas, e não compreendo por que vos estaria reservado, só a vós, permanecer na condição de uma pequena escrava branca, para o prazer de uma corte que não vos comprou, que eu saiba. Eles nunca se preocuparam com vossos meios de existência e não creio que o Rei tenha despendido três tostões por vossa conta [...]

A energia de Leopold é compensadora; a visita acontecerá, e, dez dias mais tarde, Vitória envia um relatório encantado e triunfante a Leopold:

Palácio de Kensington, 23 de maio de 1836.

Meu tio querido [...] tio Ernest[5] e meus primos chegaram aqui quarta-feira *sains et saufs*.[6] Meu tio parece notavelmente bem e meus primos são os mais encantadores dos jovens. Não vos darei descrição detalhada deles já que vós mesmos os vereis logo. Mas devo dizer-vos que eles são, ambos, muito amáveis, muito bons, muito gentis e de uma extrema alegria, como convém a gente jovem; ainda assim, são extremamente sensatos e gostam de estar ocupados. Albert é extremamente bonito [...] Fomos à Ópera sexta-feira à noite, ver os Puritani; eles adoram música como eu e estavam em êxtase, pois nunca tinham ouvido nenhum dos cantores antes [...]

Em uma segunda carta, ela é mais precisa. Não há nenhum compromisso oficial, mas o conteúdo de sua carta não deixa nenhuma dúvida sobre suas intenções:

Palácio de Kensington, 17 de junho de 1836.

Meu tio querido, confio estas poucas linhas ao tio Ernest para que as entregue a vós quando vos vir.

Devo agradecer-vos, meu caro tio, por ter contribuído para dar-me tão felizes perspectivas de futuro na pessoa de meu estimado Albert. Permiti-me então, meu tio querido, dizer-vos quanto estou encantada com ele e quanto o amo de todas as maneiras. Ele possui todas as qualidades desejáveis para me fazer perfeitamente feliz. É tão sensato, tão bom, tão gentil e tão amável. Além do mais, tem o exterior mais encantador e a aparência mais agradável possível. Devo suplicar-vos agora, meu tio querido, que cuideis muito bem da saúde de uma pessoa que se me tornou tão cara e que a tomeis sob vossa proteção muito especial. Espero com toda a confiança que tudo transcorrerá bem neste assunto tão importante para mim.

Crede-me sempre, meu tio querido, vossa muito afeiçoada, devotada e agradecida sobrinha, Vitória.

O tio querido viu certo. Com sua sabedoria habitual, ele não vai apressar as coisas. Os jovens não se verão por três anos e tampouco se escreverão. Salvo uma pequena carta de felicitações, bem convencional, de Albert a Vitória, no momento de sua chegada ao trono. Por enquanto, os amores são postos entre parênteses. Albert é enviado à Universidade de Bonn. A tarefa essencial é preparar Vitória para seu destino. O ano 1836-7 é de espera.

Entre os dois correspondentes, a troca prossegue sempre nos mesmos termos. De um lado, conselhos e reflexões; do outro, perguntas sérias ou ligeiras, sempre marcadas pela espontaneidade e pela afeição. Atenção, lembra o tio Leopold, ao que dizeis em público: "Nunca vos deixeis induzir a comunicar à corte alguma opinião ou sentimento que esteja fora da esfera da conversação banal e cotidiana. Um mau uso disso poderia ser feito contra vós e não podeis mostrar-vos muito circunspecta na matéria".[7] Ele aproveita a morte de Carlos X para lhe dar um pequeno curso de história contemporânea:

> [...] O pobre Carlos X morreu, de cólera, ao que se diz. Eu o lamentarei. Poucas pessoas foram tão benevolentes comigo quanto esse bom velho. Ele estava cego por certas idéias absolutas, mas sua bondade era real e ele merecia ser amado. A história dirá que Luís XVIII foi um monarca muito liberal, que todo o seu reinado foi marcado pelo bom senso e pela justiça e que a atitude brutal e despótica de seu irmão desfez toda a sua obra e perdeu o trono. Luís XVIII era um homem inteligente, de coração duro, sem princípios, muito orgulhoso e astuto. Carlos X, homem honesto, bom amigo, senhor honrado e sincero, inclinava-se a agir segundo o direito. Isso nos mostra os limites do ensino da história, que apresenta os fatos apenas de acordo com os acontecimentos notórios e os resultados aparentes a todos.[8]

A conquista da Argélia é pretexto para uma análise da situação na França: "Estou desolado de constatar que os ingleses chegam ao absurdo de mostrar-se invejosos das conquistas francesas. Nada é mais insensato. É necessário à paz na Europa que uma nação tão poderosa e militar quanto a França tenha um desafogo para seu gosto pela coisa militar [...].

Além do mais, essa aventura africana imporá aos franceses uma guerra perpétua contra os indígenas que só lhes poderá fazer bem".[9]

Todas essas cartas "longas, boas e interessantes" satisfazem Vitória, que lhe agradece calorosamente: "Creio que sabeis, meu caro tio, que ninguém na terra vos ama mais afetuosamente ou vos estima mais do que eu [...] Meu amor por vós ultrapassa qualquer expressão; está enraizado em mim, e desde minha primeira infância nenhum nome me pareceu mais doce que o de tio, e esse nome de tio dirige-se apenas a vós [...]".[10] Ela prova sua sinceridade e sua confiança bombardeando-o com perguntas: "Permiti-me, meu tio, uma pergunta idiota. Não achais a rainha da Espanha bastante inteligente? O que pensais dela? [...] Dizei-me também, meu caro tio, lestes os dois discursos de Sir Robert Peel? Gostaria muito que o fizésseis e que me dissésseis o que pensais deles".[11] O que pensais da violência política? O que pensais sobre o discurso de Lord Palmerston sobre a Espanha? O que pensais sobre a situação da Grécia? Essa curiosidade da pequena princesa a enobrece, assim como sua ausência de pretensão. "Tenho muito medo", conclui ela um dia, "de vos fazer rir com minhas visões políticas, mas gosto de dizer-vos o que penso e apenas vós podeis guiar-me."[12]

Leopold, dando-se conta de que os acontecimentos iam precipitar-se na Inglaterra, decidiu enviar uma pessoa de confiança para junto de Vitória, para ajudá-la a enfrentar uma situação complexa. Esse personagem essencial da intimidade de Leopold, depois de Vitória e logo de Albert, chamava-se barão Stockmar. Ele fora à Inglaterra com o príncipe Leopold no momento de seu casamento com a princesa Charlotte, na qualidade de médico. Muito ponderado, sagaz, prudente, bem depressa serviu-lhe de secretário particular, isto é, de conselheiro privilegiado. A decisão de enviá-lo a Vitória era tanto mais judiciosa quanto Stockmar, com seu imenso conhecimento político, não era movido por nenhuma ambição pessoal e desarmou, assim, as reticências do público inglês, um pouco surpreso com a chegada desse alemão a Londres. Em 1838, uma outra missão lhe foi confiada. Leopold e Vitória pediram-lhe que acompanhasse Albert por ocasião de uma viagem à Itália, a um só tempo para lhe servir de mentor e para certificar-se de que o rapaz tinha realmente as qualidades necessárias a um bom príncipe consorte. Vitória, a despeito de suas inúmeras preocupações, não esqueceu o primo, mas tampouco esquece que ela, e apenas ela, será rainha. Ocupa-se então do assunto com um espírito de decisão que surpreende em uma moça de dezessete anos tão inexperiente. Ela se abre com o tio Leopold: "Há um outro *sujet*[13] que eu gostaria de mencionar e que *j'ai bien à coeur*:[13] consultaríeis Stockmar sobre o acerto da educação de Albert? Ele conhece perfeitamente meus sentimentos e meus desejos a esse respeito [...]".[14] As coisas estão claras. Leopold entra em seu jogo e, por um momento, tem-se a desagradável impressão de que o pobre jovem vai ser devorado cru.

> No que se refere à educação de nosso amigo Albert, não poderíeis fazer melhor do que nomear Stockmar vosso comissário-geral; isso dará uma *unité de l'action et de l'ensemble*[13] que não poderíamos conseguir de outra maneira [...]. Stockmar vos fará um verdadeiro relatório sobre o assunto. Estou de acordo com esse projeto, pois nada abre mais o espírito que as viagens. Mas será preferível que Stockmar trate tudo isso de viva voz convosco. O rapaz desejava fazer-me uma visita antes de seu retorno a Bonn. Nada, porém, está definitivamente estabelecido. Podeis contar com uma coisa, que é meu desejo de ver Albert tornar-se um rapaz muito bem-sucedido e muito notável, e nenhum esforço de minha parte será considerado grande demais para chegar a esse fim.[15]

Acertado esse problema, eles retomam a preparação da sucessão. Albert é o futuro. O imediato é a aproximação da maioridade de Vitória e, sobretudo, a fraqueza do rei, que faz prever um rápido desfecho. Leopold redobra a atividade. Já não são conselhos que oferece, mas verdadeiras diretrizes simples e precisas: "Evitai de agora em diante falar tanto de vossa juventude e de vossa inexperiência", sugere ele em 25 de maio. Em 7, 15 e 17 de junho, retoma o mesmo tema. Ele a acalma, tranqüiliza, a conduz passo a passo. Ela precisa muito disso, pois nem sua mãe nem Sir John Conroy se desarmaram. Insistem, ainda e sempre, na necessidade daquele posto de secretário. Tentando um último esforço de desmoralização, sua mãe observa-lhe: "És ainda bem jovem e até o momento todos os teus sucessos devem-se à reputação de tua mãe. Não tenhas muita confiança em teus próprios talentos nem em teu entendimento".[16] Vitória não responde, não cede e relê as cartas de Bruxelas:

> Laeken, 17 de junho de 1837.

Minha criança querida [...], vou tratar hoje do que deverá ser feito quando o Rei tiver cessado de viver. Desde que tenhais recebido a comunicação oficial disso, confiareis a Lord Melbourne o cuidado de prorrogar em suas funções o ministério atual. Cumprireis essa tarefa com a gentileza e a honestidade que são vossa marca e a acompanhareis de algumas palavras amáveis. O fato é que são os atuais ministros que vos servirão com mais apego pessoal. Para eles, assim como para o conjunto dos Liberais, sois o único soberano que lhes oferece *chances d'existence et de durée*.[17] Com exceção do duque de Sussex, ninguém na família lhes oferece as perspectivas tranqüilizadoras que eles têm o direito de esperar de vós, e vosso sucessor imediato, o homem de bigodes, tem como apavorá-los o bastante para suscitar neles o mais violento apego por vós.

Leopold fazia alusão ao duque de Cumberland, que era ultraconservador e tinha os mais estreitos laços com os meios reacionários prussianos. Seu mau caráter lhe valera ser francamente detestado na Inglaterra. "Não é que ele seja mau", dizia dele seu irmão, Guilherme IV, "mas se alguém sofre de um calo no pé, ele sempre dará um jeito de lhe pisar em cima." Portanto, Leopold tinha razão para falar sobre a boa impressão que a jovem Vitória não deixaria de causar.

Três dias depois, começa o grande reinado. Duas horas depois de ter sido avisada, Vitória escreve às pressas uma palavra ao tio:

20 de junho de 1837 (oito e meia da manhã).

Meu querido tio muito amado, duas palavras apenas para vos dizer que meu pobre tio, o rei, morreu esta manhã às duas horas e doze. A triste notícia me foi dada esta manhã, às seis horas, por Lord Conygham e pelo arcebispo de Canterbury. Espero Lord Melbourne de um momento para o outro e reunirei conselho às onze horas. Crede-me sempre, meu tio querido, vossa devotada e afeiçoada sobrinha, Vitória R.

Doravante, o R de Regina acompanhará sempre seu nome. Ela teve a sorte de não ter precisado suportar uma regência e de não ter tido de esperar muito tempo: é rainha aos dezoito anos e três semanas e não dá a impressão de estar descontente com isso. Na véspera, ela analisara seus sentimentos: "Espero o acontecimento que deve ocorrer em breve com calma e tranqüilidade; não tenho medo e, no entanto, não me sinto inteiramente à altura; creio, porém, que boa vontade, honestidade e coragem me impedirão em todos os casos de faltar ao meu dever [...] Podeis contar comigo".[18]

E, de fato, seus primeiros atos não são marcados por nenhuma hesitação. Para surpresa geral, essa criança assume seu papel com graça, por certo, mas também com notável segurança. Uma palavra aparece constantemente em seu diário e em suas cartas: *só*, *só*, *só*. Quando a acordam para dar-lhe a notícia, ela desce para receber a homenagem do arcebispo e de Lord Chamberlain e, deixando a mãe e a governanta à porta, entra sozinha no salão, onde os dois velhos se ajoelham para beijar-lhe a mão. Seu primeiro-ministro vem visitá-la nessa mesma manhã. Ela tem o cuidado de anotar em seu diário que o recebeu "a sós, naturalmente, como o farei sempre". Algumas horas mais tarde, é o Conselho, e a mesma anotação: "Entrei na sala absolutamente só": Enfim, sua primeira decisão pessoal. Manda retirar sua cama do quarto da mãe. De agora em diante, tem a intenção de dormir sozinha. É a primeira marca de sua independência. Sua mãe deve sofrer uma desgraça humilhante. Vitória a verá o menos possível, exigindo sempre que a duquesa se faça anunciar antes de entrar em seus aposentos. Quando deixa de fazê-lo, é duramente chamada à ordem. "Ela esquece quem eu sou", observa a rainha com raiva a Lord Melbourne, e a duquesa se queixa: "Não há mais futuro para mim. Não sou mais nada".[19] Conroy é despedido, com uma pensão. Nunca mais reaparecerá diante da rainha. Os sorrisos, as atenções, as confidências estão reservados a Lehzen. Mãe e filha só se reconciliarão depois do casamento de Vitória. Essa tensão, porém, não é de domínio público. As aparências estão salvas e a opinião incensa a jovem rainha sem reservas. "Tudo se passa como se ela reinasse há seis anos e não há seis dias", observa Greville, fascinado pela facilidade com que ela assumiu seu novo papel. Ele aprecia acima de tudo a mistura de ingenuidade, naturalidade e bom humor com uma dignidade e um senso das conveniências inatos.

A naturalidade de seu comportamento seduz não apenas seu círculo interno mas também as multidões e, para sua grande alegria, não lhe são poupados aplausos. Quando atravessa Londres, nota com satisfação "as manifestações ruidosas e calorosas, todas de lealdade e de afeição", que a acolhem. O contraste com seus velhos tios inflama os corações. A chegada ao trono de uma rainha jovem e boa parece simbolizar todas as esperanças de um renascimento. O sucesso não lhe sobe à cabeça: os conselhos do tio Leopold são sempre recebidos com deferência e ela se volta com confiança para Lord Melbourne, que lhe facilita o aprendizado político. Os dois homens são complementares no sentido de que o ensinamento de Leopold tenderia a ser um pouco severo e constrangedor, ao passo que Melbourne lhe revela o prazer de estar no centro das coisas.

A primeira preocupação de Leopold é de inculcar-lhe um método. As cartas do primeiro ano do reinado são quase profissionais: elas abrem as portas do clube mais fechado do mundo, o dos monarcas constitucionais. A primeira condição do sucesso é a organização:

> Laeken, 27 de junho de 1837.
>
> Minha querida criança [...], devo evocar agora um assunto de importância vital para vosso conforto, quero falar dos hábitos de trabalho que ides contrair. A melhor coisa é consagrar a isso certas horas; se vos ativerdes a esse programa, levareis vossa tarefa a bom termo facilmente. Creio que faríeis bem de dizer a vossos ministros que, no momento, estareis pronta a receber os que desejarem ver-vos entre onze horas e uma e meia [...]. Acrescentarei ainda um conselho. Uma decisão importante nunca deveria ser tomada no mesmo dia em que um problema vos fosse apresentado. Desde que não se trate de um caso de urgência, adoto como regra jamais me deixar forçar a tomar uma decisão imediata. Não é fazer justiça a si mesmo *de décider les affaires sur le pouce* [...][20]

É preciso igualmente aprender a defender-se dos importunos: "Uma regra que nunca vos recomendarei o bastante é a de jamais permitir que alguém vos entretenha com questões concernentes a vós ou a vossos assuntos sem que tenhais expressado o desejo disso. Desde que uma pessoa tome tal iniciativa, mudai o assunto da conversação e fazei-a sentir que cometeu uma falta [...]. Certamente, tentarão falar-vos de vossos assuntos pessoais, não vos deixeis levar e vos deixarão tranqüila".[21]

Outra questão essencial, a do segredo da correspondência: "Pedi a Stockmar que tente estabelecer um modo de comunicação seguro e regular; quando tudo estiver calmo, como agora, uma vez por semana deverá ser suficiente. Sabeis agora que todas as cartas são lidas e isso nem sempre deveria ser o caso em nossa correspondência. Porém, há uma coisa da qual penso dever advertir-vos. Os correspondentes podem tirar vantagem do fato de que suas cartas são lidas".[22]

Vitória absorve todas essas recomendações e nunca as colocará em discussão. Conservará por toda a vida a preocupação com a exatidão e a regularidade das horas de trabalho; levará a tal grau de perfeição a preservação de sua vida privada que ela fará parte de sua legenda: olhar gelado lançado ao indiscreto; mais tarde, o célebre "We are not amused". A prudência e a discrição da correspondência e da conversação lhe parecerão tão essenciais que nunca se cansará de pregá-las à sua volta. Nada de tagarelices, aconselhará ela a sua filha em Berlim. A indiscrição do príncipe de Gales a exasperará. Para suas cartas, emprega um mensageiro que leva e espera a resposta, assim pode garantir ao tio que suas "cartas para Bruxelas e Paris são muito seguras, e para as de alguma importância que envio à Alemanha utilizo sempre Rothschild, muito seguro e muito rápido";[23] a recusa de deixar-se levar a tomar uma decisão apressada será igualmente uma de suas constantes. O "Verei" de Luís XIV se traduz, em vitoriano, por "I will think it over". Enfim, Leopold impeliu-a a manter sua opinião, uma vez formada. Sua obstinação talvez date também dessa época. Não ceder, não se deixar forçar, ela será soberana nessa arte. "The Queen will not be dictated to" será um *leitmotiv* que se encontrará até o fim.

E Leopold será o primeiro a dar-se conta disso. O respeito que lhe demonstra Vitória não é submissão. Suas relações serão afetadas, muito naturalmente, pela mudança de situação. Sua diferença de idade e de experiência ficará um pouco atenuada. Ela continua a escutar, a fazer perguntas, a pedir análises, mas de agora em diante tem um domínio reservado, a Inglaterra. Ela o usufrui graças à confiança total que tem em seu primeiro-ministro, Lord Melbourne. Não é uma contrapartida, na medida em que todos esses senhores estão antes de acordo entre si, mas um apoio. Vitória não é mais a menina isolada de Kensington. Eis a diferença.

Uma outra diferença é que está feliz pela primeira vez na vida. O trabalho lhe é tão facilitado por seus ministros que não lhe pesa. Ela se habituou muito depressa a ser o centro das atenções. "Eis que termina o verão mais agradável que jamais tive", anota em seu diário em setembro de 1837. "Nunca esquecerei o primeiro verão de meu reinado.

Adoro meu trabalho." Adora também os prazeres, os passeios a cavalo, as festas. Depois de um baile, sente-se "tão feliz, tão alegre". Fazia muito tempo que não dançava até o amanhecer. Para resumir seu estado de alma, conclui: "Como o tempo passa depressa quando se está contente".

Essa grande felicidade explica-se pelo encanto de seu primeiro-ministro, Lord Melbourne, diante do qual a jovem rainha está em êxtase. É a primeira dessas paixões que arrebatarão Vitória, nunca além do conveniente, por certo, mas claramente além do meio-termo, do razoável e do prudente. As relações com Disraeli serão dessa natureza. O entusiasmo por Lord Melbourne será o mais natural e o mais compreensível desses impulsos do coração e do espírito. Como não se encantaria ela por esse personagem benevolente, espirituoso, aureolado de amores trágicos — sua jovem mulher lançara-se aos pés de Lord Byron — e que lhe ensina com tanta paciência sua nova ocupação? Ela, a quem um pai fizera tanta falta e que até então conhecera apenas o reconforto distante do apoio do tio, vê-se de súbito passando todo o seu tempo com um homem ao mesmo tempo eminente e divertido. Ele consegue deixá-la tão confiante que aborda com ele, sem a menor reticência, todos os assuntos. Ela lhe confessa bem depressa o quanto sofre com sua ignorância e sua estupidez; como tem dificuldade em dissimular seus sentimentos, como lamenta ser tão pequena e ter tendência a engordar. "Comei apenas quando tiverdes fome", sugere ele. "Mas então comerei o dia inteiro", confessa a rainha. Ela lhe conta suas discussões com a mãe. Melbourne a escuta, encoraja-a a falar, felicita-a por seus progressos, tranqüiliza-a e, em regra geral, sempre toma o seu partido. Ela, toda trêmula, está apaixonada como uma moça pode estar. Ele, o sobrevivente do século XVIII, esquece seu cinismo para ceder ao encanto dessa rainha-criança tão admirativa e tão entusiasta. Facilita-lhe o trabalho explicando-lhe todos os papéis com grande clareza, mas preocupa-se quando ela lhe parece querer esquivar-se dos deveres de seu cargo: "A vida de uma rainha é toda de labor, lhe diz ele um dia, uma vida de obrigações, quase nunca de lazeres".[24] Ele combate energicamente seus momentos de incerteza. "Penso com freqüência quão pouco sou feita para minha posição", confessa-lhe ela. "Nunca pense nisso",[25] é-lhe respondido. No conjunto, esses primeiros anos do reinado lhe parecem, graças a ele, surpreendentemente leves. Ele consegue manter em equilíbrio essa pequena pessoa que carece de segurança intelectual, mas cujo caráter autoritário começa a despontar — mistura que poderia tornar-se explosiva.

Um grande escândalo envolvendo seu tio Leopold, um escândalo político, permite-lhe afirmar-se diante dele sem romper a amizade que os une. As coisas simplesmente se põem em seus lugares. A tensão teve origem em um desacordo entre a Bélgica e os Países Baixos. O tratado de 1831, aceito com repugnância pela Bélgica, concedia uma vantagem territorial aos Países Baixos, que, no entanto, só consentiram em ratificar os acordos sete anos depois, em 1838. Leopold achava que a evolução da situação justificava uma nova discussão do tratado e pedia que se reabrissem as negociações. Ele contava com Vitória para o apoiar, embora as grandes potências, inclusive a Inglaterra, se opusessem a isso. Escreveu-lhe cartas insistentes a esse respeito, sem hesitar em evocar o passado com delicadeza. "Fico feliz de poder dizer que nunca me encontrei em uma situação que me fizesse pedir-vos um testemunho de bondade; os pequenos serviços que pude ser levado a prestar-vos o foram sempre em um espírito de desinteresse completo. Que se tenha considerado que os primeiros passos de vosso governo em nossas questões diplomáticas eram dirigidos contra mim, isso provocou, portanto, em todo o continente, uma sensação considerável."[26]

Ela se recusa a entrar no jogo das afeições pessoais e lhe responde que seus ministros explicaram-lhe todo o caso e que não pode e não quer dissociar-se deles. O notável é a simplicidade, a clareza e a sinceridade de suas respostas:

> Minha grande afeição por vós torna-me naturalmente muito desejosa de ver acertadas essas questões que há muito tempo levantam tantos problemas e põem em perigo a paz e a tranqüilidade [...]. Creio, meu caro tio, que nos julgais mal ao pensar que favorecemos a França muito forte e injustamente. Não deveis crer, meu caro tio, que é por falta de interesse que me abstenho, em geral, de tocar nesses assuntos em minhas cartas, mas temo, se consentisse em fazê-lo, transformar nossa correspondência encantadora e familiar em uma discussão rígida e formal sobre assuntos políticos, o que não seria agradável para nenhum de nós.[27]

É ela, portanto, quem encerra a discussão, tão polida quanto firme. O rei Leopold podia ficar orgulhoso de sua aluna e Lord Melbourne, contente com sua soberana.

Leopold teve a extrema inteligência de reconhecer a legitimidade da conduta de Vitória e de voltar a assuntos mais pessoais, mais precisamente ao jovem Albert. Os dois jovens não se haviam encontrado desde junho de 1836. Vitória, como se viu, preocupara-se com sua educação, mas não houvera intercâmbio verdadeiro entre eles. Albert, preparado desde a infância para a eventualidade de um casamento com sua prima, nem por isso demonstrava grande entusiasmo. Em suas cartas ao irmão, exibia certa desconfiança do caráter de Vitória. Ela parecia ao mesmo tempo muito veemente e muito frívola aos olhos desse rapaz sério, sensível, um pouco melancólico. Um drama familiar ensombrecera sua infância: sua mãe, comprometida por seu envolvimento com um oficial, fora expulsa de Coburg. Um divórcio privou-a definitivamente dos filhos, que jamais reviu. Ora, Albert nunca perdeu a lembrança disso, nem o pesar. Era ferozmente apegado ao irmão, às duas avós, a toda a vida tranqüila, próxima da natureza, de uma pequena corte alemã do século XIX. Estava preparado para lançar-se na carreira tão árdua de se transformar no príncipe consorte da Grã-Bretanha?

Stockmar, em um relatório detalhado ao tio Leopold, mais consciente do que ninguém da dificuldade da missão, acha-o um pouco fraco; ele tem tendência a poupar-se; um longo esforço o desgosta.

> Ele está cheio das melhores intenções e das mais nobres resoluções, mas nem sempre chega a realizá-las. Tem um julgamento muito seguro para um rapaz de sua idade, mas até o momento, pelo menos, não mostrou o menor interesse pela política. Mesmo quando os acontecimentos mais importantes estão em curso e o desfecho lhe parece incerto, é impossível fazê-lo abrir um jornal. Além do mais, detesta todos os jornais estrangeiros, e, embora declare que o *Augsburger Allgemeine Zeitung* é o único jornal que merece ser lido, nem por isso ainda o folheia.[28]

Ele não fica muito à vontade nas grandes reuniões mundanas nem nas manifestações oficiais. Mas os estudos que prossegue seriamente em Bonn abrem-lhe o espírito, e quando o rei Leopold o vê, ou antes o inspeciona, em 1838, mostra-se satisfeito: "Ele tem todas as qualidades necessárias para ocupar sua posição na Inglaterra", escreve ele a

Stockmar. Parece-lhe chegado o momento de acertar definitivamente esse assunto e ele se propõe a organizar uma viagem a Londres quando recebe uma carta de uma Vitória aparentemente muito perturbada.

> Palácio de Buckingham, 15 de julho de 1838.
>
> Meu caro tio [...], envio-vos esta carta por mensageiro pois estou muito impaciente para vos submeter diferentes questões e vos participar alguns sentimentos que tive a respeito da visita de meus primos e que desejo manter entre nós. Primeiro, gostaria de saber se Albert está a par dos desejos que seu pai e vós mesmos tendes em relação a mim. Em segundo lugar, se ele sabe que não há compromisso entre nós. Gostaria muito que fizésseis tio Ernest saber que, mesmo que o quisesse, não poderia fazer promessa definitiva este ano pois nada poderia acontecer antes de dois ou três anos, pelo menos. Pois, independentemente de minha pouca idade e de minha grande aversão a transformar minha situação presente, o país não parece demonstrar nenhuma impaciência por esse gênero de acontecimento, e me pareceria mais prudente esperar dele alguma manifestação — pois se se apressasse o que quer que fosse, isso correria o risco de produzir um descontentamento.
>
> Embora todos os relatórios sobre Albert sejam muito favoráveis e eu não duvide de que ele me agrade, nunca se pode, no entanto, comprometer-se antecipadamente no que se refere aos sentimentos, e talvez eu não tenha por ele o sentimento necessário para assegurar nossa felicidade. Talvez eu o ame como um amigo, um primo ou um irmão, mas não mais. E se isso vier a ser o caso (o que é pouco provável), estou muito desejosa de que fique bem entendido que não me torno culpada de uma falta de palavra pois jamais a dei. Estou certa de que compreendereis minha inquietação, pois se isso não estivesse absolutamente claro eu me veria em uma situação muito penosa. De qualquer maneira, essa visita me põe em um estado de grande nervosismo, pois seu objeto não me é agradável. Tenho pouca coisa a acrescentar, meu caro tio, pois vos falei muito abertamente, o que estava muito impaciente por fazer [...]. Vossa sobrinha devotada, Vitória R.

O que acontecera? Não insistamos na má-fé: Vitória não devia se perguntar se Albert estava a par. Sabia-o devidamente e, se não dera sua palavra, mostrara-se favorável a ponto de organizar com Stockmar a educação do rapaz. Porém, é justo sublinhar que o primeiro e último encontro entre eles datava de três anos e não fora seguido de nenhuma correspondência. Albert era um desconhecido para ela, e sua hesitação não era surpreendente. Mas, de fato, seu recuo explicava-se essencialmente por seu caráter. Sabia-se agora que ela era ao mesmo tempo bastante autoritária para não aceitar embaraçar-se com um marido e não suficientemente segura de si mesma para imaginar impor-se a ele. "A própria idéia do casamento me dava medo porque me habituara tanto a agir a meu modo."[29] Além disso, ela se encontrava em uma situação privilegiada e anormal na medida em que era dona de si mesma. Cabe a ela decidir-se, e só a ela. Jamais cogita dos sentimentos de Albert. Parece-lhe absolutamente inconteste que ele fará tudo o que ela quiser. Um elemento deve ser levado em conta: Vitória é ao mesmo tempo dura e sentimental. Excessivamente sensível à beleza, à aparência exterior das pessoas. Muito atenta aos encantos masculinos. Ora, ela está muito mais rodeada que em 1836. Se a etiqueta a impede de valsar, ela não se priva de conduzir quadrilhas. Gosta de dançar até tarde. Convidou outros primos. O pequeno czaréviche pareceu-lhe encantador. Se deve casar-se, melhor escolher alguém belo e agradável. Ela quer ter tempo de ver, talvez de comparar. Albert, observa ela a Lord Melbourne, gosta de deitar-se cedo, enquanto ela nunca tem sono. Esses são alguns dos problemas apreciados por Lord Melbourne. O casamento não é uma necessidade, repete ele, enquanto a lembra de que só um marido lhe permitiria resolver o irritante problema das relações com sua mãe, que se deterioram cada vez mais. Vitória ficaria contente de ter palácio separado, mas como pôr sua mãe para fora sem se casar?

Leopold, compreendendo todos os aspectos da situação, é fino demais para forçá-la ou mesmo parecer influenciá-la. Apenas sobre um ponto ele se mostra muito firme: impossível deixar Albert de reserva sem lhe dar resposta clara. Não seria agir eqüitativamente com o rapaz. O tio Leopold é muito calmo e continua a tomar medidas para a visita de Albert e de seu irmão, prevista para outubro. Eles chegam no dia 10 e os acontecimentos vão precipitar-se: "A beleza de Albert é extremamente impressionante [...]. Ele é muito fascinante",[30] escreve ela imediatamente a seu tio, e essas palavras são a chave de sua reviravolta, pois a mudança de Vitória é espetacular. Albert só precisou aparecer para ganhar a batalha. E por quê? Simplesmente porque é bonito e sua frívola prima não põe nada acima da beleza masculina. Ela discutia muitas vezes com Lord Melbourne a aparência dos diferentes senhores que a cercavam. O velho ministro por vezes tentava temperar seu ardor. Em vão. Ela, aliás, não tem nenhuma ilusão sobre seu próprio físico. Sua altura, sua silhueta a desolam. Mesmo suas sobrancelhas não são de seu gosto, mas ela se consola observando que os homens mais sedutores nem sempre são os mais tocados pela beleza das mulheres. Felizmente para ela, Albert é desse tipo. Stockmar, de resto, inquietara-se com seu pouco *empressement*[31] com as damas. Vitória não se preocupa com isso e seu entusiasmo já não tem freio. Como resistir a "esses olhos azuis, tão belos; esse nariz adorável, essa boca tão bonita com seus finos bigodes, essa soberba silhueta, ombros largos e cintura fina"?[32] Pobre Albert, se tivesse sabido que suas qualidades morais e intelectuais não pesariam nada na decisão de sua prima! Ela está não apenas decidida, mas também determinada a conduzir o assunto francamente. O primeiro a ser posto a par é Lord Melbourne. Depois vem o delicado pedido de casamento. Ela convoca Albert, sozinho, e lhe diz que "ficaria muito feliz se ele consentisse em seu desejo". Não é preciso mais. Albert compreende e se decide. Resta avisar o tio Leopold, antes mesmo de sua mãe.

> Castelo de Windsor, 15 de outubro de 1839.
>
> Meu tio querido, esta carta, estou certa, vos dará prazer porque sempre mostrastes um interesse tão caloroso por tudo o que me dizia respeito. Estou absolutamente decidida — e falei com Albert sobre isso esta manhã; a terna afeição que ele me demonstrou depois de me ter escutado deu-me grande prazer. Ele me parece uma perfeição e creio que tenho diante de mim uma grande felicidade. Amo-o mais do que poderia dizê-lo e farei tudo o que está em meu poder para tornar o sacrifício que ele faz (pois, em minha opinião, faz um sacrifício) tão leve quanto possível. Ele parece dotado de grande tato — qualidade indispensável em sua situação [...]

Aliviado, Leopold responde imediatamente:

> Wiesbaden, 24 de outubro de 1839.
>
> Minha Vitória querida, nada poderia dar-me mais prazer que vossa carta [...]. Em vossa posição, que tem todas as probabilidades de tornar-se mais difícil do ponto de vista político, não poderíeis existir sem um interior feliz e agradável. Ou muito me engano — o que não creio — ou encontrareis em Albert precisamente o temperamento e as qualidades

indispensáveis à vossa felicidade e que se harmonizarão com vosso próprio caráter, com vosso humor, com vosso gênero de vida. Dizeis com grande gentileza que considerais que Albert vos faz um sacrifício. Isso é verdade sob muitos aspectos, pois sua situação será difícil, mas muito, eu diria mesmo tudo, dependerá de vossa afeição por ele. Se o amais e lhe testemunhais bondade, ele suportará facilmente o peso dessa situação e tem um caráter bastante firme e bastante alegre para facilitar a tarefa [...]. Até nova ordem, não digo nada a vossa mãe nem a Charles ou a Feodora [...]

Albert, que gostava muito de sua tia e futura sogra, ficou um pouco entristecido de não poder contar-lhe seu segredo. Resignou-se a isso e confiou ao mesmo tempo seus projetos e sua apreensão a seus pais: "[...] Não me faltará coragem [...], minha posição futura será sombria sob muitos aspectos e o céu nem sempre será azul e sem nuvens".[33] Bela clarividência.

# 2

# *VITÓRIA EM FAMÍLIA*

*Abandonai-vos, meu anjo — Marido ou ornamento — Tempestuosos aprendizados — Cinco meninas e quatro meninos — A glória de Albert*

> Castelo de Windsor, 29 de outubro de 1839.
>
> [...] Oh! meu caro tio, como estou feliz! Realmente, adoro Albert. É um anjo; ele é de uma tal gentileza comigo e tenho a impressão de que me ama muito, o que me toca enormemente. Espero, estou certa de que o farei tão feliz como merece. Não suporto ser afastada dele, pois as horas que passamos juntos são tão felizes, tão encantadoras [...]

Não nos deixemos enganar pelo estilo escolar de Vitória. Albert acertara em sua previsão, e os espinhos despontavam sob os beijos, espinhos políticos, mas que nem por isso picavam menos. Muito depressa, levantam-se questões protocolares e diplomáticas: quais serão a posição, o título, o círculo do príncipe Albert? A noiva encarrega-se de tudo com autoridade, e Albert, recebendo cartas em que se misturarão protestos de amor e comunicações peremptórias, não terá nenhuma dúvida — se alguma vez as tivera — sobre quem usará calças em seu casamento. Nessas discussões, é ajudado pelo rei Leopold, que acompanha de perto a evolução do caso: ele tinha idéias muito precisas sobre a situação de príncipe consorte. Vivera-a uns vinte anos antes e fazia questão de proteger esse sobrinho que lançava, por sua vez, nessa perigosa carreira. Assim, desde o retorno de Albert à Alemanha, Leopold sugere-lhe pedir um título de par para apressar sua integração à Grã-Bretanha, mas Vitória, de acordo com Lord Melbourne, recusa, sem muitas formalidades: "[...] vossa posição será decidida pouco antes de vossa chegada aqui, assim como vossa posição militar. Tudo será acertado muito facilmente [...]. Lord Melbourne me disse ontem que todo o Gabinete é muito fortemente da opinião de que não devereis ser feito par. Vou escrever isso a nosso tio [...]".[1] Dois dias depois, ela se torna mais explícita ainda: "[...] os ingleses são muito ciosos da intervenção de um estrangeiro no governo do país e já exprimiram a esperança (em certos jornais que estão bem-dispostos em relação a mim e a vós) de que não vos imiscuireis nele. Bem sei que será assim, mas se fôsseis feito par, todos eles diriam que o príncipe quer fazer política. Estou certa de que compreendereis [...]".[2] Compreendendo ou não, ele não podia fazer nada. Teve em seguida a desagradável surpresa de ver diminuída quase pela metade a ajuda de custo obrigatória ao consorte. O uso determinava que o esposo ou a esposa do soberano recebesse 50 mil libras por ano. Leopold, que nunca fora mais que o marido da herdeira do trono, recebera essa soma até sua partida para a Bélgica. Ora, o Parlamento concedeu apenas 30 mil libras a Albert. Este viu aí, muito justamente, a prova de que seu casamento não despertava muito entusiasmo e de que a rainha, muito marcada por seu apego aos *whigs*, partido ao qual pertencia seu caro Melbourne, indispusera-se gravemente com o partido contrário. Os *tories*, em massa, haviam votado contra ele. A despeito dessa advertência, Vitória e Melbourne queriam povoar a Casa de Albert de *whigs*, sem exceção. Albert teria preferido mais moderação e, sobretudo, manifestara o desejo de ver as diferentes pessoas que comporiam seu séquito antes de as nomear. Não pôde impor seu ponto de vista. Todas as suas sugestões foram varridas sem grande consideração: "[...] Quanto aos vossos desejos referentes aos cavalheiros de vosso séquito, devo dizer-vos com toda a honestidade que não convêm absolutamente. Podeis confiar inteiramente em mim: as pessoas à vossa volta serão muito encantadoras, de alta posição e de boa companhia [...]. Lord Melbourne já me indicou alguns nomes que conviriam muito bem.

"Recebi hoje uma carta desagradável de tio Leopold. Ele me parece bastante irritado porque não lhe peço mais sua opinião e o caro tio tem a tendência de crer que deve ter um pé em toda parte. Isso, no entanto, não me parece uma necessidade [...]".[3]

Albert revolta-se quando lhe comunicam a escolha de George Anson como seu secretário. Anson fora o secretário privado de Melbourne e o príncipe teria preferido, muito naturalmente, um homem menos marcado por um posto tão confidencial: "[...] Imaginai minha situação, cara Vitória, deixo minha casa com todas as suas velhas lembranças, todos os meus amigos mais próximos, por um país onde tudo me é novo e estranho [...]. Não terei ninguém, a não ser vós, a quem me confiar. E nem sequer me será concedido que as duas ou três pessoas que estarão encarregadas de meus assuntos pessoais sejam pessoas que tenham a minha confiança?".[4] Mas a rainha não se deixa comover por esse apelo patético: "[...] Tendes razão de crer que meu maior, meu mais profundo desejo é de tudo fazer para vos ser agradável, mas não posso ser de vossa opinião a respeito de Mr. Anson [...]. Não se pode esperar vossa chegada para nomear toda a vossa Casa. Estou desolada por ter de dizer-vos coisas que, receio, não vos darão prazer, mas isso é necessário, meu muito caro, meu excelente Albert. Mais uma vez: asseguro-vos que podeis confiar perfeitamente em mim para todas essas questões".[5]

Albert teve de curvar-se. Notemos, contudo, que ele acabou por entender-se o melhor possível com Anson. O príncipe apreciou rapidamente o desinteresse, o bom senso e os talentos de Anson, e este acionou todas as suas relações e seu conhecimento das engrenagens políticas para aumentar a autoridade de Albert. No momento, apesar de tudo, pode-se imaginar que o pobre noivo sentia alguma amargura por esse tratamento um pouco rude. Ele se consola relendo as grandes declarações sentimentais de Vitória e imaginando as doçuras da lua-de-mel no castelo de Windsor. Aí também, é trazido brutalmente de volta à realidade:

> [...] A propósito de nossa estada em Windsor, não compreendestes absolutamente do que se tratava, meu caro Albert. Esqueceis que sou o soberano, e que as questões não podem parar e esperar. O Parlamento está em sessão e quase todo dia um acontecimento pode necessitar minha presença, e me é absolutamente impossível ausentar-me de Londres; em conseqüência, dois ou três dias constituem já uma longa ausência. Nunca tenho um momento de descanso se não estou no local mesmo, em condição de ver e de ouvir o que se passa, e todo mundo (inclusive minhas tias, que são muito seguras para esse gênero de questão) é da opinião de que devo

> reaparecer depois do segundo dia [...]. Aliás, é exatamente isso que desejo também [...].[6]

Que fazer? Albert não tinha nenhum meio de impor seus desejos. Felizmente para ele, esse noivado irritante foi extremamente breve. Ele deixara Coburg em 28 de janeiro, depois das despedidas melancólicas de sua família, para deter-se em Bruxelas. O tio Leopold aproveitou isso para tentar acalmar a impetuosidade organizadora da noiva:

> Bruxelas, 4 de fevereiro de 1840.
>
> Minha muito querida Vitória [...] a certa distância, as explicações por carta são praticamente impossíveis, e, afinal, cada um dos dois correspondentes julga o outro insensato. À sua chegada, Albert, bastante exasperado por uma porção de coisas, transbordava de queixas. Mas nossas conversações dissiparam essas nuvens [...]. Faríeis melhor se tratásseis de todas essas questões verbalmente. Albert é vivo e não obstinado; ao longo de uma conversação, pode-se convencê-lo apresentando-lhe argumentos válidos. Quando pensa ter razão, faz questão de que se lhe prove que está errado e, se o admite, está pronto a ceder sem demonstrar mau humor. Não é inclinado ao amuo, mas creio que ficaria facilmente melancólico, se tivesse a impressão de ser tratado injustamente; como estareis sempre juntos, nunca ocorrerão, pelo menos o espero, motivos de atrito, mesmo insignificantes [...]. Sempre, minha muito querida Vitória, vosso tio devotado, Leopold R.

Não procurava mascarar sua inquietação, o rei Leopold! Conseguiu, contudo, reconfortar Albert, que partiu bravamente para Londres, onde a rainha o acolheu com enlevo: "Meu Albert, que me é tão caro e tão precioso, chegou. Ele é soberbo [...]", anota ela em seu diário. Lord Melbourne permite-se observar que não lhe parece muito conveniente que os noivos durmam sob o mesmo teto antes da cerimônia. "Ridículo", decretou a moça, que instalou o divino Albert bem perto dela. O casamento aconteceu em 10 de fevereiro de 1840. O arcebispo de Canterbury perguntou à rainha, antes do serviço, se desejava prometer obediência ao marido. Ela respondeu afirmativamente. A extrema juventude dos esposos, sua felicidade evidente contrastando com a velhice e a decrepitude do resto da família real despertaram os vivas da multidão. Atordoados mas comovidos e encantados, eles foram de carruagem passar sua noite de núpcias em Windsor.

"Noite desconcertante e deliciosa",[7] foi o comentário que ela teve tempo de enviar a Lord Melbourne, no dia seguinte de manhã. Menos explícita, mas igualmente entusiasta, ela faz saber ao tio Leopold que é "a pessoa mais feliz, a mais feliz que jamais existiu". Isso não basta para tranqüilizar completamente o bom tio sobre a sorte de Albert. Ele sabe muito bem que Vitória é capaz de compartimentar sua existência, de arrulhar com o marido enquanto o deixa à margem do que não é banal. Ele usa um artifício para fazer passar seus conselhos. Subitamente, suas cartas enchem-se de alusões à princesa Charlotte: "Tínhamos uma regra no tempo da pobre Charlotte, que era jamais deixar terminar um só dia por *ein Missverständniss* por mais fútil que pudesse ser [...]".[8] Fazendo-se mais preciso ainda, ele continua: "[...] Sei que vos disseram que Charlotte dirigia tudo na casa e gostava de mostrar que a senhora era ela. Mas não era assim. Ao contrário, gabava-se de me fazer aparecer vantajosamente e mesmo de me testemunhar respeito e obediência em momentos em que eu não pedia tanto. Tinha quase a tendência a exagerar essa atitude para sublinhar claramente que me considerava seu amo e senhor [...]".[9]

Vitória não demonstrava má vontade em dar o primeiro lugar ao marido em seu círculo privado. Exteriorizava seus sentimentos sem a menor reticência, e o irmão de Albert contou a Leopold que ela "se mostrava invariavelmente uma esposa amorosa, atenta e mesmo terna com Albert, esforçando-se em descobrir suas pequenas preferências". Mas mantinha-o completamente fora de suas atividades públicas. Trabalhava todo o dia com seus ministros e imaginava, um tanto ingenuamente, que conversações de salão, uma partida de xadrez, um pouco de música bastariam para preencher os serões de Albert. Ora, este fez saber rapidamente que suportava mal bancar o ornamento dessa maneira. Todas as testemunhas concordavam sobre o incrível tédio dos serões na corte. Alguns eleitos jogavam jogos de sociedade infantis com a rainha, a duquesa de Kent ou Albert. Os outros olhavam. Nenhuma conversação. Eleanor Stanley, dama de honra, enviava relatórios desalentadores a seus pais: "Serão particularmente estúpido, ontem à noite [...]. As damas sentadas a um canto do salão; os cavalheiros, em pé, em fila, na outra ponta do salão. Olhávamos o jogo a distância e meditávamos".[10] Seis meses mais tarde, situação inalterada: "Ontem, o jantar foi tão tedioso que parecia brincadeira".[11] Na Alemanha, Albert fora habituado à companhia de amigos estudantes, como ele, ou de professores; pediu para convidar cientistas, artistas, para tornar essas vigílias mais úteis e mais agradáveis. A rainha se opôs. Não se sentia capaz, confessou com humildade e franqueza desarmantes, de participar de uma conversação intelectual e não queria ser mantida à parte. Em suma, não fazia questão de exibir sua ignorância em público. Albert teve a cortesia de não insistir. Já compreendera quanto ela sofria com as lacunas de sua educação e com sua falta de naturalidade em sociedade. Perfeita em representação, crispava-se quando era preciso falar. Mas a legitimidade das reivindicações de Albert atingiu seu círculo imediato, e fez-se um esforço em torno dele para fazê-lo participar das questões públicas. Entre Leopold, Stockmar, Anson e o próprio Melbourne se formará uma conspiração para valorizar o príncipe.

Vitória era bastante sensível para dar-se conta do mal-estar e falou dele com franqueza a Lord Melbourne. Atribuiu sua reserva à indolência. Depois de um dia de trabalho, procurava esquecer os dossiês e relaxar. Em sua concepção romanesca da existência, o amor devia alimentar-se apenas de cavalgadas, festas e música. De resto, era mesmo constitucional revelar o lado secreto do Conselho? Lord Melbourne a admoesta e insiste na desejável ausência de segredo entre marido e mulher. Não vê nenhum obstáculo a que ela se entretenha com tudo o que quiser com Albert. Mas bem sabe que não são os escrúpulos constitucionais que retêm Vitória. Em uma conversa com Stockmar, ele avança que seria antes o receio de um desacordo com Albert. Ela parece temer pôr seu amor à prova em uma discussão. Mais perspicaz, Stockmar, avaliando muito justamente o perigo para Albert de dar muito cedo uma opinião que correria o risco de ser "desastrosa", pensa que Vitória, por preguiça ou falta de seriedade, nem sempre compreende as questões públicas e, "não julgando necessário aprofundá-las, vê-se incapaz, por isso, de as expor àquele que deveria ser seu amigo e seu conselheiro".[12]

Mas a longa série dos nascimentos principescos começou, desde o fim do primeiro ano de casamento, e apressou a evolução da situação. Um dia Melbourne dissera a Vitória que não havia casamento feliz sem muitos filhos. Queria ela dar-lhe uma prova estrondosa de sua felicidade? Teve nove filhos em dezessete anos, dos quais, fato incomum à época, nenhum morreu com pouca idade. Cinco filhas: Vitória (1840-1901), dita Vicky,[13] que se tornará imperatriz da Alemanha; Alice (1843-78), grã-duquesa de Hesse-Darmstadt, cuja filha será a última imperatriz da Rússia; depois Helena ou "Lenchen" (1844-1923), princesa de Schleswig-Holstein; Louise (1848-1939), duquesa de Argyll; e Beatriz, a caçula (1857-1944), princesa de Battenberg. As três últimas permaneceram na Inglaterra depois de seu casamento. Quatro filhos: Eduardo, o príncipe de Gales, sempre chamado de Bertie em família, futuro Eduardo VII (1841-1910); Alfred (1844-1900), duque de Edimburgo; Arthur (1850-1942), duque de Connaught; e Leopold (1853-84), duque de Albany. Imagina-se que essa série ininterrupta de gestações implicava certa fadiga e facilitou um recurso mais freqüente a Albert. Contudo, em suas cartas a Leopold, Vitória nunca se queixa. Nada de indisposições, nada de desfalecimentos nem de permanências prolongadas na cama. A imagem da dama vitoriana, sempre estendida em seu canapé, não vem da rainha. Em compensação, ela é sujeita a períodos de depressão; sofre de um sentimento de humilhação diante da deformação de seu corpo, e a cólera a invade diante dessa injustiça da natureza. A cada nova gravidez, Albert confia a seu irmão, Ernest, que "Vitória fica furiosa".[14] Ela própria confessará mais tarde à filha mais velha: "Engravidei imediatamente [...] e fiquei bem furiosa com isso".[15] Mas o que fazer? Uma coisa é possível: ela não pretende sofrer inutilmente e, desafiando corajosamente as boas almas que preconizavam o parto com dor, faz-se administrar clorofórmio para o nascimento de seu oitavo filho: "O efeito desse abençoado clorofórmio foi tranqüilizante, calmante e maravilhoso além de toda expressão". Reconhece-se aí seu bom senso e seu espírito de decisão. Ela não vai se deixar influenciar por discussões abstratas sobre a utilidade da dor.

Tampouco vai fingir estar satisfeita com os filhos. Dizer que não os amava seria um pouco excessivo, mas em vão se procuraria nela o gesto maternal instintivo. Nenhum traço de sentimentalismo ou de enternecimento nesse domínio. Não deu mostra disso em sua juventude e igualmente não o fará na idade madura. Desde seu primeiro bebê, ela é categórica: não é um divertimento. Ao tio Leopold, que a felicita, responde com clareza: "Não posso crer, meu querido tio, que desejeis realmente me ver *Maman d'une nombreuse famille*,[16] pois penso que vereis, como eu, quanto uma grande família seria incômoda para nós, assim como para o país, sem contar o dissabor e a dificuldade para mim".[17]

Albert parece ter um contato muito mais natural com a criança, e, na mesma carta, Vitória o descreve dançando com sua filhinha nos braços: "Ela parece tão feliz de ir com ele",[18] e admite que Albert é uma babá bem melhor que ela. O instinto materno não faz seu gênero e ela conservará sempre uma espécie de desgosto pelos muito pequenos. À sua filha, que se alegra inocentemente de ter logo um filho, ela esclarece que "um bebê feio é um objeto completamente repugnante [...] e o mais bonito deles é pavoroso [...] pois seus pequenos membros lhe dão um corpo desproporcionado e ele é animado daqueles horríveis movimentos de rã".[19] Mais tarde, comparará a multiplicação de seus netos à proliferação dos coelhos no parque de Windsor.

Albert, ao contrário, fica muito mais comovido e, sobretudo, é mais atento ao bem-estar de seus filhos. De resto, nesse casamento em que os papéis são invertidos, a chegada dos filhos vai transformar a situação do pai e permitir que ele se afirme. Antes mesmo do nascimento de sua filha, ele fora nomeado pelo Parlamento único regente, caso a rainha morresse ao dar à luz um herdeiro. Esse voto assinalava uma vitória sobre a família real, que teria preferido o estabelecimento de um conselho de regência. A rainha, encorajada ou tranqüilizada por esse sinal de confiança, decidiu dar a Albert livre acesso aos papéis que recebia de seus ministros. O passo era importante. A partida de Lord Melbourne, em conseqüência da crise ministerial de 1841, iria precipitar o avanço do esposo.

Albert toma a iniciativa e manda pedir a Melbourne que aconselhe a rainha, antes de sua partida, a voltar-se para ele. O momento é bem escolhido: a rainha se verá desconcertada pelo afastamento do velho amigo. Ela não gosta de seu novo primeiro-ministro, Sir Robert Peel. Por que então não aproveitar as qualidades intelectuais do marido? A resposta de Lord Melbourne dá a medida de sua compreensão do caráter de sua soberana. "Ele sempre pensara", relatou George Anson em um memorando datado de 30 de agosto de 1841, "que quando deixasse o serviço da rainha o príncipe seria necessariamente valorizado e ajudaria consideravelmente a rainha, e isso ocorreria tanto mais naturalmente na medida em que a rainha tivesse também mais confiança em seu julgamento. O príncipe, porém, deve ser muito prudente no início e, em pouco tempo, adquirirá esse hábito. Deverá prestar muita atenção em não deixar a rainha imaginar que tem relações com Peel sem que ela o saiba [...]. A rainha gosta de estar a par de tudo o que se passa, mas é necessário informá-la completamente e de maneira *elementar*." O conselho era judicioso. Era preciso decompor os problemas para permitir que Vitória os compreendesse. Ora, o espírito claro e lógico de Albert, excelente nesse gênero de exercício, iria permitir-lhe ganhar a partida. Gradualmente, anotações do gênero "Albert está muito ocupado com as questões do Oriente..." ou "Albert pensa, como eu, que...", ou ainda "Albert vos explicará...", aparecerão cada vez mais freqüentemente nas cartas a Leopold.

Paralelamente, Albert vai trabalhar para impor-se no seio de sua família. Ele escrevera, tristemente, a um de seus amigos, três meses depois de seu casamento: "Sou o marido e não o chefe da casa".[20] De fato, o chefe da casa da jovem Vitória era sua governanta, a baronesa Lehzen. Ela substituíra a duquesa de Kent havia muitos anos. A fidelidade da afeição de Vitória garantia-lhe inteira autoridade no interior do palácio. Oficialmente, desde a chegada da rainha ao trono ela desempenhava as funções de um secretário privado, controlando sua correspondência e suas despesas pessoais. Sua influência provinha do fato de nunca haver deixado Vitória um único dia. Esta afirmava que Lehzen nunca tirara um dia de folga desde sua chegada à Inglaterra; e pensava não poder passar sem ela. As relações entre Albert e Lehzen foram imediatamente execráveis, mas Albert, temendo a violência das reações de sua mulher, não tentou pôr as coisas às claras desde os primeiros tempos de sua vida em comum.

Ele começou por aproximar-se da duquesa de Kent, sua tia e sogra. Ajudou-a a recolocar suas finanças em ordem, demonstrou-lhe calmamente que Conroy efetivamente a roubara de somas consideráveis e conseguiu reconciliá-la com a filha. Reforçar a família natural era já pôr Lehzen na defensiva. Mas isso não bastava, a tal ponto Vitória mostrava-se suscetível quando se criticava sua velha protetora. "Vitória é muito violenta e apaixonada para que eu possa falar-lhe de minhas dificuldades", queixava-se Albert a Stockmar, "recusa-se a escutar-me, zanga-se e me cobre de censuras pela desconfiança que demonstro, por minha falta de confiança e minha ambição e meu ciúme." Então, ele engole essa humilhação constante imposta pela presença de Lehzen e vê-se mesmo forçado a aceitar que ela se aproprie da vigilância do quarto das crianças. Mas fica à espreita. Por ocasião de uma doença da pequena princesa herdeira, logo depois do nascimento do segundo filho, seu ressentimento explode. A criança, declara ele, fora escandalosamente malcuidada, mas, nas atuais circunstâncias, ele não podia fazer nada. Que Vitória assumisse então suas responsabilidades, se queria manter aquela intrigante "louca, vulgar, estúpida, que se toma por um semideus". E, em uma pequena nota dirigida à sua mulher, ele concluía: "Faze o que quiseres, se a criança morrer, tu a terás na consciência".[21] Vitória teve medo. A violência de Albert, geralmente tão doce e tão cortês, foi compensadora. Entre ele e Lehzen, Vitória não hesitou. A baronesa fez sua trouxa e deixou o campo livre a Albert.

Essa vitória marcou o começo de um período feliz e ativo para Albert. Ele utilizou sua liberdade de ação para recolocar em ordem não apenas os arranjos referentes aos filhos, mas também toda a organização dos palácios. Seu espírito metódico fez maravilhas. Três autoridades dividiam a responsabilidade pelo funcionamento das moradas da rainha. Nelas reinava uma horrível desordem. Um dia, descobriu-se um rapaz, simples de espírito, deitado na antecâmara de Vitória. Aparentemente ele havia passado quinze dias em Buckingham sem que ninguém o soubesse. Os convidados, que ninguém acompanhava a seus quartos, perdiam-se nos corredores. Assim, Guizot entrou por engano nos aposentos da rainha quando ela se vestia. Ela não lhe guardou rancor por isso e, durante o jantar, fez alusão, rindo, a essa visita intempestiva. Sentia-se muito frio em todos os cômodos. Por quê? Porque as pessoas que preparavam os fogos nas chaminés não estavam habilitadas a acendê-los. Ora, a coordenação entre os acendedores e os encarregados da lenha deixava a desejar. Não se enxergava através das vidraças. Por quê? Porque os lavadores que limpavam o exterior dos vidros não tinham de limpar o interior. Durante os três primeiros meses de 1840, haviam sido alimentadas 24 600 pessoas em Buckingham. A cifra não correspondia em nada ao que fora previsto. É evidente que as reformas necessárias iriam incomodar muitos aproveitadores. Albert terminou a reorganização em 1844, instituindo uma autoridade única, a do Master of the Household.

Quanto ao quarto das crianças, o método seguido foi o mesmo. Deu-se plena e inteira responsabilidade a Lady Lytleton, uma velha dama, um pouco fora de moda mas extremamente culta, perspicaz e tolerante. Ela se entendia muito bem tanto com Albert como com Vitória e soube acalmar a ansiedade desses jovens pais que queriam fazer tudo da melhor maneira. Não houve mais problemas nesse domínio, o que foi ainda mais apreciado porque a taxa de ocupação não diminuía.

Mas Albert não se contentava em organizar; deu início a grandes reformas em Buckingham e em Windsor, tornadas necessárias pelo rápido crescimento da pequena família. Convenceu a rainha a comprar uma propriedade na ilha de Wight, Osborne, e uma outra na Escócia, em Balmoral, para libertar-se um pouco da sufocante atmosfera dos palácios. Em Windsor, ele instituiu fazendas de criação que todos os anos recebiam prêmios nos concursos agrícolas. Os touros tinham os nomes de membros da família real. O mais célebre, príncipe Alfred, foi emprestado algum tempo a Napoleão III. Nosso eclético Albert passava facilmente do papel de fazendeiro ao de historiador ou de protetor das artes. Assim, pôs ordem nos arquivos privados, impondo um sistema de classificação de dupla referência, inusitado à época. Mandou classificar a correspondência de cada ministro ou soberano estrangeiro por ordem cronológica e, fazendo estabelecer cópias dos papéis mais importantes, constituiu um dossiê particular para cada grande questão. Sistema engenhoso e metódico, mas que exigia muito trabalho. A tarefa estava confiada ao secretário alemão mas, com a morte de Albert, foi abandonada. Continuou-se a conservar todos os papéis, mas sem os catalogar, para grande desespero dos arquivistas, encarregados por Eduardo VII de sua publicação parcial.

Graças a Albert, centenas de quadros saíram dos acervos em que se amontoavam. Ele comprava coleções inteiras em leilões públicos; a coleção real de desenhos, soberba, foi recolocada em ordem. Em suas diferentes residências, ele passava o tempo a medir os painéis e mudar a disposição das telas nas paredes. Seu gosto em matéria de decoração foi severamente discutido pelas gerações seguintes: “Eu sempre pensara que nada podia igualar a feiúra do salão de Osborne até o momento em que vi o de Balmoral", declarou Lord Rosebery por volta de 1900. É preciso dizer, em defesa de Albert, que ele provavelmente teria evoluído com seu tempo e que a rainha Vitória lhe prestou um mau serviço ao recusar-se a mudar um galão que fosse dos aposentos onde Albert vivera.

Mas ele foi um dos primeiros a conceber o papel do Estado no domínio artístico, um dos primeiros também a compreender que a Revolução Industrial daria origem a uma nova estética. Apoiou com entusiasmo o projeto da Grande Exposição de 1851, concebida para pôr em evidência essa nova forma de arte. Sob as abóbadas do Palácio de Cristal, maravilha desmontável de vidro e aço, triunfavam as artes aplicadas. Pela primeira vez, podiam ser vistas as invenções que transformariam o mundo. Fazia-se funcionar diante dos visitantes as máquinas agrícolas ou industriais ou ainda o maravilhoso telégrafo elétrico. Expunham-se móveis que, graças às novas técnicas, poderiam ser reproduzidos em grande número, transformando e uniformizando o cenário dos burgueses. Assistia-se realmente ao nascimento de um novo modo de vida: Vitória e Albert haviam tomado o trem pela primeira vez em 1842.

Para o príncipe Albert, assim como para os melhores espíritos de seu tempo, não se podia isolar a estética de seu contexto social. Esse grande festival de arte industrial devia, portanto, constituir igualmente um hino à paz: "Gosto de acreditar", escreveu ele ao primeiro-ministro, Lord John Russell, "que a contemplação das obras reunidas terá um efeito benéfico sobre as diferentes nações unidas nesse esforço".

O sucesso da Exposição foi prodigioso. Mais de 6 milhões de visitantes em seis meses. Imaginemos aquela colossal massa de cristal, cobrindo três vezes a superfície da catedral de Saint Paul no meio do Hyde Park. O efeito era mágico. Macaulay, o grande historiador, correu para lá desde a abertura, insinuando-se entre as 300 mil pessoas que se aglomeravam no local: "Suntuoso espetáculo", escreveu ele, "vasto, elegante, superando as fantasias dos sonhos árabes. Não posso crer que os Césares tenham exposto mais soberbo monumento. Fiquei deslumbrado". Não é certo que a multidão tenha compreendido o conteúdo intelectual do empreendimento, mas o príncipe, aproveitando o impulso e os benefícios colhidos, pôde estabelecer diretrizes para a instalação de museus técnicos em Londres.

A rainha não tentou temperar seu entusiasmo. Dirigiu-se para lá todos os dias, durante dois meses, visitando metodicamente todas as instalações. Deplorou com veemência que o tio Leopold não tenha podido ser testemunha "do maior dia de nossa história, do espetáculo mais belo, mais imponente, mais tocante que jamais se viu e do triunfo de meu Albert bem-amado. Verdade, a cena era feérica, estupeficante. Muitas pessoas choravam [...]. Foi o dia mais belo da minha vida; nunca estive tão orgulhosa, e não posso pensar em outra coisa; o nome querido de Albert será imortalizado graças a essa obra imensa, inteiramente concebida por ele, e meu querido país mostrou-se digno dela".[22]

Os anos 50 marcam o termo de uma evolução nas relações do casal. Vitória admite a superioridade intelectual do marido e lhe dá cada vez mais peso no domínio político. Desaparece a pequena Vitória que clamava tão alto "Eu sou o soberano". Uma esposa admirativa e submissa abandona a frente da cena: "Albert parece amar cada dia mais a política e as questões públicas e é tão maravilhosamente dotado para uma e outra — tem tanta perspicácia e coragem —, e eu desgosto-me delas cada vez mais. Nós, mulheres, não somos feitas para governar — se somos boas esposas, é justo que não gostemos dessas ocupações masculinas".[23] Alguns dias mais tarde, ela chega quase a queixar-se: "Meu caríssimo tio [...], Albert torna-se realmente um homem público temível. Creio que isso tira algo da doçura de seu caráter, pois ele está tão preocupado; estou cada dia mais convencida de que nós, mulheres, se queremos ser boas, femininas, amáveis e agradáveis na intimidade, não somos feitas para reinar".[24]

Ela abandona-se. Apenas desabrochada, eis que engorda. A rainha enfeia, observam todos os visitantes. Que importa? Albert não dá nenhum sinal de esmorecimento. A jovem mulher frívola que "se preocupa muito pouco" com a reputação moral das pessoas que a cercam dá lugar a uma figura mais digna. Sob a influência do virtuoso Albert, torna-se menos tolerante. Convencida, com razão, de que a popularidade da família real explica-se por seu gênero de vida, ela exibe esse extraordinário contentamento de si que é um dos elementos importantes do "vitorianismo". Sua satisfação jamais é maculada pela menor dúvida.

Suas cartas ao tio Leopold apregoam sua felicidade com uma veemência que beira a falta de tato:

> Meu caríssimo tio, mil agradecimentos por vossa tão gentil carta do dia 31, que recebi domingo, justamente quando nosso amigo Stockmar fazia sua aparição. Ficamos muito felizes de saber, por seu excelente relatório, que todos vós, inclusive minha cara tia Louise, iam bem e que as crianças tinham crescido tanto: Leo quase tão alto quanto Louise! *En revanche*[25] ele vos dirá, espero, como nos encontrou florescentes e como ficou surpreso e encantado com as crianças; como todo mundo, está impressionado com a semelhança de Albert júnior com seu querido Papai. No fundo, meu caro tio, eu me arriscarei a declarar que não apenas nenhum casamento real é igual ao nosso, mas também que nenhum outro casamento pode ser comparado ao nosso, da mesma maneira que ninguém, no fundo, pode ser comparado ao meu Anjo bem-amado.[26]

Ela relata todos os cumprimentos dirigidos a Albert com um contentamento pueril: "A energia e a coragem de Albert a cavalo fizeram sensação [...]. A viagem a Birmingham causou o melhor efeito e meu Anjo bem-amado fez o maior sucesso".[27] O imperador da Rússia faz uma visita oficial à Grã-Bretanha. Apesar de sua expressão "formidável", ela o acha "fácil". Pois ele lhe fez o elogio do Anjo nestes termos: "Impossível ver rapaz mais bonito; ele tem um ar nobre e tão bom".[28] Alguns meses mais tarde, ela escreve a Leopold: "Luís Filipe [...] deu-me muito prazer ao tratar Albert absolutamente como igual. Chama-o de 'meu irmão' e me disse 'Por mim, o príncipe Albert é o rei' ".[29] O velho tio esquece, em 1843, de a felicitar no aniversário de seu casamento. É gentilmente chamado à ordem: "Estou um pouquinho triste por me terdes escrito no dia 10 sem atentar para o dia mais feliz, mais caro de minha vida, ao qual devo a grande felicidade em que vivo, bem maior do que o mereço, embora os seis ou sete últimos anos em Kensington me devessem uma certa compensação, a tal ponto foram sinistros e opressivos [...]. Como sou grata por possuir (digo-o honestamente, sem vaidade ou lisonja ou cegueira) o ser mais perfeito que existe ou jamais tenha existido".[30]

O tom se mantém ano após ano. Albert vai a Liverpool em visita oficial, em 1846. A rainha desabafa em uma carta a Stockmar: "[...] sinto-me muito só sem meu caro senhor. Bem sei que as pessoas se separam com freqüência por alguns dias, mas sinto que nunca me habituarei a isso. Sem ele, todas as coisas perdem o interesse".[31] Depois de quinze anos de casamento, ela se queixa em termos excessivos à sua amiga

Augusta, a rainha da Prússia, notoriamente infeliz no casamento, de uma ausência de cinco dias de Albert, que partiu para ver o "grande vizinho", isto é, Napoleão III: "Confesso que estou realmente perturbada com a idéia de ficar tanto tempo sem ele [...]".[32] A expressão mais peremptória de seus sentimentos estará reservada à sua filha, recém-casada, e que tem a audácia de se dizer feliz: "É-me impossível admitir que uma outra mulher seja tão feliz quanto eu [...]. Não admito, portanto, nenhuma comparação".[33] É um traço permanente de seu caráter, que se liga a uma só vez ao seu egoísmo e ao seu fervor, não conceber que se possa superá-la, ou mesmo igualá-la, na felicidade ou na infelicidade. Apesar do exagero dos termos empregados a propósito de Albert, niguém jamais pôs em dúvida sua sinceridade.

Vitória tinha sentimentos de grande força, que foram inteiramente canalizados para o marido. Tudo estava tão concentrado na pessoa de Albert que restava pouco calor a dar aos filhos. Ele absorvia toda a espontaneidade, todo o ardor de sua mulher, e toda a sua violência, pois eles brigavam com a virulência das pessoas que se amam, e isso até o fim de sua vida conjugal. Vitória tinha muito mau gênio. Depois da morte de Albert, não houve mais ninguém para opor-se a ela e, portanto, houve menos explosões. Mas Albert lutou até a morte contra "sua incrível obstinação", "sua arrogância", "sua falta de coração". Vitória confessava a Stockmar que havia nela "uma irritabilidade que a fazia dizer coisas maldosas e odiosas", e, acrescentava ela, tinha dificuldade "em curvar-se à vontade de outrem". Também tinha dificuldade em mostrar-se natural e gentil com os filhos, aqueles importunos que a impediam de estar a sós com Albert. Vitória não sofria com sua falta de naturalidade com os filhos, uma vez que Albert era o único objeto de sua paixão. Se ele estava muito ocupado e ela se queixava de estar abandonada, a simples sugestão de aproximar-se dos filhos provocava nela reações violentas. Albert é seu tudo: "pai, protetor, guia, conselheiro para todas as coisas, mãe [...], esposo",[34] paixão exclusiva que a obriga a pôr certa distância entre ela e seus filhos. Ela lamentará sempre, e o repetirá constantemente à filha, ter tido filhos muito cedo e ter sido, assim, privada de uma intimidade perfeita com Albert.

Seus filhos, ela os observa com severa lucidez e não lhes poupa as observações. Vitória, a primogênita, a mais inteligente e a preferida do pai, tem mau gênio; Bertie é qualificado de retardado quando tem apenas dois anos. E para ele as coisas não irão melhorar, pois esse filho, de espírito tão diferente do de seu pai, será refratário aos estudos sistemáticos que lhe serão impostos, e constituirá o desespero dos pais. Vitória o critica ainda mais duramente porque sabe que puxou a ela: "Bertie, com sua inteligência medíocre e antes preguiçosa [...], é minha caricatura; eis a desgraça [...]. *Il se bouche les oreilles*[35] desde que a discussão toma um curso interessante".[36] Eis, de fato, o que não deixa de lembrar a recusa de Vitória de convidar cientistas e artistas ao palácio.

A terceira filha, Louise, "muito insuportável e atrasada", não é mais bem julgada que a quarta, Helena, cuja aparência não melhora. Mesmo o caçula, Leopold, o pequeno hemofílico, não tem direito a um tratamento indulgente. Foi o primeiro de sua família a ser atingido por essa doença misteriosa que, transmitida pelas filhas de Vitória, iria causar tanta devastação nas cortes da Europa. O menino, muito frágil, freqüentemente doente e imobilizado, não escapava por isso ao olhar da terrível mamãe: "Leopold é extremamente feio, comporta-se sempre mal e é muito desagradável; creio mesmo que está mais feio do que quando era pequeno".[37] Sua firmeza em relação ao enfermo jamais se afrouxará. Ela lhe foi provavelmente benéfica. Antes de tudo, Vitória o considerou sempre como responsável por seus males. Portanto, nada de compaixão inútil: "Leopold é realmente uma causa de tristeza e de indignação. Ele só pode culpar a si mesmo pelo acidente de sua perna. Esteve muito doente durante uma semana por pura obstinação e recusa-se a escutar seu médico [...]. Não se pode realmente lamentá-lo".[38] Mais tarde, embora não permita que ele faça viagens muito longas — ele teria desejado ir à Austrália —, ela lhe atribui responsabilidades mais cedo que aos outros; impeliu-o a casar-se e infundiu-lhe certamente coragem e energia. Não seria ela que se submeteria a um Rasputin. Tinha o estofo de uma mãe romana.

Albert criticava sua atitude: "É pena que não encontres nenhum consolo na companhia das crianças. A raiz do mal é tua noção, absolutamente falsa, de que a função de uma mãe é sempre a de corrigir, repreender, dar ordens e organizar as atividades. É impossível ser feliz e amigável com pessoas que se acaba de repreender". Felizmente para as crianças, a frieza de sua mãe era compensada pela alegria de Albert.

Era ele quem arrastava toda a família a piqueniques na Escócia, organizava os banhos em Osborne, foi ele quem ensinou os filhos a empinar pipas, a apanhar borboletas — Vitória anotou um dia, em seu diário, a surpresa de vê-lo dar cambalhotas com Bertie —, era ele, ainda, quem ensaiava os quadros vivos, acompanhava o desenvolvimento de uma representação de *Athalie*, apresentada pelos dois mais velhos; foi sempre ele quem explicou às filhas o mecanismo do nascimento. Vitória recusava-se a imiscuir-se nessas iniciações e aspirava a "ficar o mais longe possível do assunto".[39] Mais tarde, caberá a ele acolher seus genros. Enfim, foi ele quem formou suas duas filhas no papel de embaixatriz oficiosa que iriam desempenhar depois do casamento.

Sua aluna favorita era a jovem Vicky, dentre seus filhos a única que herdou seu gosto pela política. Seu casamento, o único realizado durante a vida de Albert, permite analisar a sutil mistura de política e sentimentos, muito característica dessa família. Uma das grandes idéias do príncipe Albert consistia em favorecer uma Prússia forte e liberal, que unificaria a Alemanha, para a maior felicidade e tranqüilidade da Europa. Forte, a Prússia já o era em 1855, mas, a despeito de sua constituição, quase não se podia qualificá-la de liberal. Aos olhos de Albert, o casamento do príncipe herdeiro, Frederico, com uma princesa inglesa precipitaria uma evolução rumo à tolerância. Com seu apoio, ajudada por seus conselhos, sua filha, pensava ele, poderia fazer triunfar seu ideal. Tratava-se, portanto, de uma aposta no futuro, a longo prazo, pois a família real prussiana não deixava de levantar ligeiros problemas! O rei titular era louco e seu irmão, o regente, futuro Guilherme I, de formação estritamente militar, detestava as idéias novas. Sua esposa, a princesa Augusta, amiga de longa data de Vitória, tinha, em compensação, pontos de vista muito mais avançados, mas não tinha nenhum domínio sobre um marido que não a amava e que nunca a apreciou. Espantosamente mal combinado, esse casal não cessou, durante seus sessenta anos de vida em comum, de brigar e de forçar seu círculo a tomar partido por um ou por outro. Albert jamais teria enviado sua filha para o que chamava de "labirinto de Berlim" se não estivesse certo a uma só vez do liberalismo de seu genro e de seus sentimentos pela moça, já que, precisamente, ela só poderia atuar através dele.

Os jovens se haviam visto em diferentes ocasiões, em família, e Frederico, dito Fritz, mostrava-se manifestamente muito atraído pela pequena Vitória. Seu pedido foi mais facilmente aceito porque Albert tinha mais que confiança nas qualidades intelectuais de sua filha e em sua firmeza de caráter. Parecia-lhe que, apesar de sua juventude, ela se imporia ao marido. Fritz, a crer em uma carta de Vitória, tinha dificuldade em afirmar-se: "Suplico-vos", escreveu ela a Augusta, a mãe do rapaz, "que testemunheis confiança em vosso caro filho a fim de que ele possa ter confiança em si mesmo. Receio sempre, em seu caso, as conseqüências de um conflito moral no caso de seu pai recomendar fortemente uma coisa a que sua mãe se oponha. Ele desejará satisfazer os dois". É certo que Fritz sofria com os atritos familiares e respirava mais à vontade em Windsor do que em Berlim. Sua atitude respeitosa com Albert e Vitória, solícita com Vicky, tranqüilizava completamente Albert sobre a legitimidade de seu projeto.

Albert empreendeu, então, completar a educação de sua filha e inculcar-lhe o sentido de sua missão. Praticamente, isso queria dizer que lhe daria uma aula de história e de política contemporânea todas as noites e que ela jantaria com os pais. Ora, a rainha reagiu violentamente a essa mudança de hábitos. Para descontentamento de Albert, ela se deixou afundar na irritação e no egoísmo, e não pensou mais no contexto no qual se situava o acontecimento. Mostrou-se exasperada pela invasão de sua filha naquela intimidade conjugal de que fazia tanta questão. Seu marido tinha dias cada vez mais ocupados, ela estava grávida de novo, e eis que os preciosos jantares a dois deviam ser partilhados! "Nós jantamos com Vicky", anotou em seu diário; "ela se retira geralmente às dez horas e tenho então a rara felicidade de estar a sós com meu Albert bem-amado."[40]

Seus sentimentos em relação à filha, Vicky, são de grande complexidade. Tem ciúmes da atenção que lhe prodigaliza Albert, e talvez se irrite com suas afinidades intelectuais, embora admita com bom humor suas lacunas nesse domínio, como o demonstra uma carta de felicitações que dirige a Vicky a respeito de um memorando enviado ao pai: "Papai está muito contente com o memorando que lhe enviaste [...]; ele me disse francamente (o que é inteiramente verdade) que eu não teria sido capaz de fazer o mesmo".[41] Ela se recusa a admitir que a filha não é mais uma criança, ao mesmo tempo em que aspira à partida dessa pequena "rival". Atitude ambígua, que irrita Albert no mais alto grau. Evocando a solicitude comovente de Fritz com sua noiva, ele escreve a seu irmão: "Vitória está irritada com isso, pois não consegue conceber que a filha possa despertar tais sentimentos [...]. Vicky é muito sensata e partirá bem preparada para o labirinto de Berlim". Ele vai mais longe: censura sua mulher pelo alívio que sente em "livrar-se da filha". Vitória, longe de vergar-se sob a censura, tem a coragem moral de analisar-se.

Ela se explica muito claramente em uma carta enviada a Augusta, a futura sogra de Vicky. Esta entristecia-se com a próxima partida de sua filha, que devia desposar um príncipe de Baden. Longe de conformar-se ao uso que institui que as mães lamentem a partida de suas crias, Vitória admite não temer a prova: "Para mim, a situação é completamente diferente", declara ela.

> Vejo as crianças muito menos, mesmo aqui, de onde Albert muitas vezes está ausente durante o dia. Não encontro prazer particular nem compensação na companhia dos mais velhos [...]. É muito excepcional que eu ache as relações íntimas com eles fáceis ou agradáveis. Não podeis compreender isto, mas há várias explicações. Antes de tudo, só me sinto precisamente à vontade e realmente contente quando Albert está comigo; em seguida, tenho o hábito de realizar minhas numerosas ocupações absolutamente só; fui criada de maneira solitária (nunca com pessoas mais jovens que eu) e, enfim, não consigo me acostumar à idéia de que Vicky é quase uma pessoa adulta. Para mim, é sempre a mesma criança que é preciso conter por medo de que se torne familiar demais. Eis, com toda a sinceridade, meus sentimentos bem diferentes dos vossos. E eis por que a separação, sob muitos aspectos, certamente difícil e penosa para mim, não me parecerá tão viva e atroz quanto para vós. Acrescentemos que tenho tantos filhos que estarei bem provida deles por anos ainda.[42]

O mais surpreendente é que esse mal-estar não afetou as relações ulteriores entre mãe e filha. Bem ao contrário, por sua franqueza e solidez, elas foram exemplares. O casamento e a partida, pondo fim à exasperação do noivado — Vitória apressou-se em anotar em seu diário "o grande encantamento" redescoberto dos jantares a sós —, iam permitir uma renovação total de suas relações. Consumado o casamento, Vitória considerou sua filha como uma igual, uma amiga, uma confidente: "De agora em diante, não há nada de que não possa falar-te; uma filha casada, por mais jovem que seja, encontra-se imediatamente no mesmo plano que sua mãe". Ela chegou mesmo, uma ou duas vezes, a queixar-se da "dureza" de Albert com relação a ela. Essa correspondência biebdomadária foi de grande utilidade para Vitória. Permitia-lhe desafogar-se um pouco e escapar à lógica um tanto repressiva de Albert.

Para Albert, apesar do dilaceramento causado pela partida da filha, o casamento ultrapassava o caso particular. Representava o coroamento de seu edifício pessoal. Ele esperava ter contribuído assim para a criação de um novo exemplar daquele tipo de monarca constitucional de que seu tio Leopold fora o inspirador. Em sua visão ingênua e otimista de homem do começo do século XIX, uma Europa governada por soberanos decerto respeitosos da constituição liberal de seus países, mas dotados de forte autoridade moral e capazes, por meio de um trabalho sistemático, de ajudar seu governo com seus conselhos, representava o ideal a ser alcançado. No fundo, ele teria desejado povoar os tronos europeus daqueles bons coburguenses que conhecia e nos quais tinha plena confiança.

# 3

# *VITÓRIA, SEUS COLEGAS E A EUROPA DE 1848*

*O rei, meu primo, o rei, meu amigo — Nicolau, czar e autocrata — O bom rei Luís Filipe — Intrigas e desilusões — Os soberanos contam pouco*

À sua chegada ao trono, Vitória tinha contato estreito e familiar apenas com o rei dos belgas. Por certo, suas alianças européias eram numerosas. Por parte de pai, ligava-se às famílias reais de Hannover, de Wurtemberg, da Prússia e dos Países Baixos. Graças à parentela Coburg de sua mãe, tinha parentesco com todos os príncipes protestantes alemães, sem esquecer que um Coburg desposara a rainha de Portugal. Com os Orléans, o casamento de Leopold com Louise, filha primogênita de Luís Filipe, e o de Vitória de Coburg, uma prima irmã, com o duque de Nemours, haviam estabelecido laços afetuosos. Mas todas essas alianças só serão concretizadas no plano político depois do casamento com Albert.

Ao deixar Coburg, Albert jurara permanecer um bom alemão e pretendia realmente manter relações constantes com a mãe pátria, convencido de poder utilizar suas relações pessoais em benefício tanto da Inglaterra quanto da Alemanha. Assim, desde 1842, o rei da Prússia foi a Londres, e essa visita marcou o início de uma longa correspondência confidencial entre Albert e ele. Para o príncipe, tratava-se a uma só vez de obter informações de primeira mão, que transmitia comumente aos ministros, e de ter peso na política interna alemã. Desde seus anos de aprendizagem, sente-se em Albert e em Vitória a vontade de criar uma situação pessoal no mundo político europeu. Eles vão ultrapassar rapidamente o campo de sua família próxima, introduzindo em suas relações com outros soberanos uma nota de intimidade inteiramente nova para a época.

Anteriormente, as famílias reais não viajavam ao estrangeiro. Reis e imperadores encontravam-se apenas em caso de guerra ou de congresso. Era preciso uma revolução para que uma princesa casada no estrangeiro revisse seu país natal. No século XIX, os hábitos mudam. Vitória e Albert vão inaugurar as viagens familiares, pois levarão os filhos, sempre que possível, em viagem oficial e parecerão atribuir a mais alta importância à qualidade das relações que assim vão manter com seus "colegas".

Conscientes do pouco poder real de que dispunham em comparação aos outros soberanos, eles procuravam estabelecer por vias pessoais uma influência sobre a política estrangeira da Grã-Bretanha. Uma rede paralela, duplicando as redes diplomáticas normais, não podia senão reforçar sua autoridade. "Nossos deslocamentos pelo continente", escreveu Albert a Stockmar, não sem certa ingenuidade, "têm geralmente dado a impressão de que a aparição pessoal do soberano, em um país estrangeiro, garante sua amizade pela Inglaterra. Eis, portanto, progressos por certo modestos, mas prazerosos em política externa e interna."[1] Mas, para não se expor à crítica, Albert, muito mais que Vitória, tinha o sentimento de que em política interna o soberano deve zelar para não ser tachado de partidarismo. Era preciso manter-se absolutamente acima dos conflitos. Nesse domínio, Vitória tinha muito a aprender. Ela nunca ocultara suas opiniões políticas: amava os *whigs*, e só os *whigs*. Conseguiu mesmo alterar o jogo político normal em 1839.

Tinha vinte anos e reinava havia apenas dois anos quando o governo de Lord Melbourne ficou em minoria. Sir Robert Peel, chefe do Partido *tory*, preparava-se então para formar o novo ministério, quando esbarrou num obstáculo imprevisível. Era de uso que a Casa do soberano fosse da mesma cor política que o governo. Portanto, Peel tinha a intenção, muito naturalmente, de nomear novas damas de honra quando a rainha recusou abertamente separar-se das que ocupavam a função. Alegou habilmente sua condição de mulher ("Como pedir a uma moça que se separe de suas damas?") e forçou Peel a retirar-se. O homem de Estado fora paralisado pela obstinação da jovem rainha.

Lord Melbourne voltou. Vitória prevalecera, mas agira mal. Fora contra o espírito da constituição, e um dos muitos méritos de Albert foi inculcar-lhe uma concepção mais sã de seu papel. Para ele, um soberano partidário era um soberano enfraquecido. Vitória só podia reconquistar todas as suas prerrogativas permanecendo acima dos partidos. Essa era igualmente a opinião do tio Leopold, que relembrou energicamente à sobrinha que um "país pode existir e prosperar sem monarquia. Esse fato deve demonstrar claramente ao soberano que o rei de um povo não pode ser o rei de um partido".

Vitória jamais será neutra, mas aprenderá a não ultrapassar os limites de seus direitos. Paralelamente, compreenderá o interesse, para ela, em servir-se de suas relações familiares e de suas amizades para participar ativamente na política estrangeira. Essa tendência será reforçada quando a maior parte dos tronos europeus for ocupada por seus netos. Mas, por ora, trata-se de aprender a superar sua timidez e de travar conhecimento com os outros membros da profissão.

Um dos primeiros a ir vê-la é o "autocrata", o czar Nicolau I. Toda comovida à idéia de receber "esse grande personagem, o maior dos potentados deste mundo", ela apressou-se em fazer um relatório detalhado ao tio Leopold.

> Palácio de Buckingham, 11 de junho de 1844.
>
> Meu tio querido [...], eu era extremamente contrária à visita dele, pois temia *la gêne*[2] e a agitação; aliás, no início não me senti à vontade, mas, vivendo na mesma casa, tranqüilamente e sem constrangimento (o que, diz Albert muito justamente, é a grande vantagem dessas visitas, pois me permitem não apenas ver esses grandes personagens, mas também conhecê-los), aprendi a apreciá-lo [...]. Muito inteligente, não, não creio que o seja, e seu espírito não é refinado; sua educação foi negligenciada, os problemas políticos e militares são os únicos a interessá-lo realmente; é insensível às artes e à doçura de outras distrações; mas é sincero, estou certa disso, sincero mesmo em seus atos mais despóticos, na medida em que não concebe outro meio de governar [...]. É muito ansioso de ser acreditado, e devo dizer que estou inclinada a levar suas promessas pessoais a sério [...]. Ele tem uma forte tendência para a intimidade, dizendo-me, quando as crianças se encontravam no mesmo aposento que nós: "*Esses são os doces momentos de nossa vida*" [...]. É muito sensível à beleza e me fez pensar em vós quando, do carro, via-o procurar as damas bonitas com

os olhos [...]. Devo confessar-vos que temíamos que um polonês tentasse assassiná-lo durante nossas saídas. Que alívio ao trazê-lo de volta para casa são e salvo [...]

A visita passou-se da melhor maneira possível, mas Vitória tinha muita consciência da profunda diferença de suas concepções políticas para sentir-se realmente à vontade diante daquele homem de físico formidável "[...] que nunca sorria [...] e sobre o qual o penoso peso de seu imenso poder parece sobrecarregá-lo enormemente".[3] É preciso dizer que o czar, que não conseguia sorrir "ao mesmo tempo com os olhos e com a boca",[4] tinha uma fisionomia capaz de fazer estremecer os mais empedernidos. Além disso, Vitória inquietava-se com as repercussões dessa visita na França. "Espero", concluía ela em uma carta a Leopold, "que convençais o rei Luís Filipe a vir, como combinado, em setembro. Não queremos ser exclusivos em política, mas estar em bons termos com todo o mundo, e por que não estaríamos? Não temos segredos."[5] E ela tivera o cuidado de sublinhar: "Se esta visita aborrece os franceses, que seu caro rei e seus príncipes venham até aqui, eles podem estar certos de uma acolhida sincera e afetuosa. A que recebeu o imperador Nicolau era polida e cordial, *mas não vinha do coração*".[6]

De fato, as relações com Luís Filipe tinham um tom bem diferente. Em primeiro lugar, os Orléans eram malvistos pelos outros príncipes europeus. Considerava-se com desconfiança, se não com hostilidade, esse rei filho de regicida. O czar teria podido mostrar-se condescendente com a pequena rainha constitucional, mas Luís Filipe só podia estar lisonjeado com sua vontade de aproximação, e até mesmo grato. Vitória achava-se, portanto, em uma agradável posição de superioridade. Acrescentemos que a atmosfera Orléans lhe convinha. Luís Filipe fora o primeiro a delinear a imagem do rei burguês, bom pai de família, à qual Vitória e Albert mostravam-se tão sensíveis. Graças aos conselhos soprados por Louise e Leopold, Luís Filipe adotara uma atitude perfeita. "Não faleis de política", prevenira Louise, em uma carta dirigida à sua mãe, "é o pai de família que Vitória desejará ver. Meu excelente pai deve mostrar-se natural, patriarcal, sem cerimônia [...] e não abordar a política para evitar sugerir-lhe que se serve dessa visita para tentar influenciá-la."[7] Além do mais, o rei era vivo, divertido, falante e sabia relembrar eventualmente quanto o apoio do duque de Kent, o pai de Vitória, fora-lhe precioso durante seus anos de exílio.

A visita francesa fora cuidadosamente preparada por Leopold, que tinha o maior interesse em servir de intermediário entre sua sobrinha e seu sogro. Ele aplainava todas as dificuldades, aconselhava um e outro com discernimento e facilitou a aproximação com grande inteligência. O primeiro exemplo de utilização das relações pessoais da rainha Vitória por seu governo foi precisamente uma advertência feita aos franceses, por meio de Leopold. Por ocasião de uma crise no Oriente Médio em outubro de 1840, houve um desacordo entre a França e a Grã-Bretanha. Os países comunicaram-se então por intermédio do rei dos belgas. Este transmite a Vitória uma carta de Luís Filipe advertindo a Inglaterra contra a tentativa "de humilhação da França" que, sublinha Leopold, favorece o refrão "*Antes perecer que sofrer essa ignomínia*". Vitória, por sua vez, tenta deter a crise utilizando o mesmo canal: "Meu tio querido, recebi vossa gentil mas inquieta carta anteontem, e apresso-me em responder-vos pelo correio que parte hoje. Trabalhei arduamente na semana passada para tentar uma conciliação e espero tê-la conseguido [...]. Em minha humilde opinião [...], se a França fizesse algum avanço e deixasse de armar-se, tudo estaria dito; pois, vede, se a França continuar a armar-se, como justificar-nos de não fazer o mesmo? E isso seria muito mau. Não poderíeis sugerir isto ao rei e a Thiers como vindo de vós? Estou muito ansiosa, asseguro-vos, pelo retorno à amizade e à concórdia [...]".[8] Essa iniciativa da rainha, conduzida evidentemente com o acordo, se não por sugestão, de seu governo, tinha sobre uma tentativa mais oficial a vantagem de parecer mais espontânea e, sobretudo, de sofrer menos com um eventual malogro.

Alguns meses depois da visita do czar, é a vez de Luís Filipe ir ver Vitória. Nunca um rei francês em exercício se dirigira à Inglaterra. A multidão o recebeu com um entusiasmo surpreendente. No entanto, a atmosfera familiar dessa visita de Estado é sublinhada pelas cartas que a precedem. A rainha dos belgas escreve várias vezes a Vitória para certificar-se do conforto de seu pai:

> Meu pai é um dos seres mais fáceis de contentar, satisfazer e acomodar. Sua vida agitada habituou-o a tudo [...]. Há apenas uma coisa que ele tem dificuldade em fazer, é estar pronto muito cedo de manhã. Contudo, tem

a intenção de tentar descer para o café da manhã, mas deves insistir para que não o faça. Isso alteraria seus hábitos e seria mau para ele [...]. Não é preciso dizer-lhe que eu te escrevi a respeito disso, mas acertar-se com Montpensier e mandar-lhe levar simplesmente um caldo de galinha [...]. Minha mãe lhe fez muitas recomendações, mas meu pai tem uma índole tão imprudente, e está tão pouco acostumado a tomar precauções e a poupar-se que é preciso de alguma maneira vigiá-lo para o impedir de apanhar frio e de prejudicar-se [...]. E o que perturba minha mãe é o receio de que, vendo-se em liberdade e sem controle, ele queira muito bancar o rapaz, segundo sua expressão [...]. Minha mãe suplica-te também que o impeças, se possível, de montar a cavalo.[9]

A visita transcorreu muito bem. "O rei ficou encantado e foi recebido em toda parte com as maiores marcas de entusiasmo e de afeição [...]. Que homem extraordinário, o rei! Que maravilhosa memória, que vivacidade e que sabedoria! Falou-nos muito abertamente e está decidido a que nossas questões caminhem bem."[10] Na verdade, a franqueza de Luís Filipe é enganadora, e o entusiasmo de Vitória foi definitivamente extinto depois do caso dos casamentos espanhóis.

O trono da Espanha era ocupado por uma moça, a rainha Isabel. Sua herdeira era sua irmã caçula, a infanta Fernanda. Ficara entendido entre a França e a Grã-Bretanha que nenhum dos dois países tiraria vantagem dessa situação. A Inglaterra comprometia-se a não estimular uma candidatura Coburg, e Luís Filipe, a não avançar um de seus filhos. Ele aceitara mesmo não cogitar do casamento da infanta com seu filho Montpensier antes que a rainha estivesse casada e houvesse assegurado a sucessão. Ora, aproveitando uma imprudência de Palmerston que fazia menção aos Coburg em um despacho, Luís Filipe fez instantaneamente anunciar o duplo casamento das princesas espanholas: a primogênita com seu primo, dom Francisco, notoriamente anormal e impotente, e a caçula com Montpensier. Essa falta de escrúpulo chocou profundamente a Inglaterra e, em particular, a rainha Vitória. "O bom rei agiu de maneira muito desonesta", relatou ela a seu tio, "escrevi o que pensava sobre isso muito abertamente e muito energicamente à pobre, querida Louise."[11] Luís Filipe, que devia desconfiar dos sentimentos de Vitória, deixou à sua mulher o cuidado de a avisar oficialmente. A rainha Maria Amélia, muito embaraçada, perfeitamente consciente da ruptura de seus compromissos pessoais, colocou todo o caso num plano afetivo:

"Esse acontecimento de família nos cumula de alegria, porque esperamos que assegure a felicidade de nosso filho querido e que encontremos na infanta uma filha a mais, tão boa e amável quanto suas irmãs mais velhas, e que aumentará nossa felicidade interior, a única verdadeira neste mundo, e que vós, senhora, sabeis tão bem apreciar".[12] Era conhecer mal Vitória acreditar que ia deixar-se levar por essas palavras açucaradas. Ela respondeu com dignidade: "Vós vos lembrais, talvez, do que se passou entre o rei e mim [...]. Portanto, podereis compreender facilmente que o anúncio súbito desse duplo casamento apenas poderia causar-nos surpresa e um vivo pesar. Peço-vos perdão por vos falar de política neste momento, mas gosto de poder dizer a mim mesma que sempre fui sincera convosco".[13] Para o caso de os Orléans não terem apreendido perfeitamente seu pensamento, ela sublinha em uma carta à rainha Louise "que é impossível dar a esse caso um caráter de família",[14] e observa ao tio Leopold que tem dificuldade em imaginar que a felicidade pessoal de Montpensier possa depender "de uma feia menina de catorze anos que ele nunca viu". De fato, segundo a condessa de Boigne, a infanta mostrou-se "a mais encantadora, a mais afável das princesas noras".

Todos os esforços que o rei dos belgas fará para tentar uma reconciliação, depois de alguns meses, serão vãos: "Fui profundamente ofendida", responde-lhe ela, "e como admitir que devêssemos fazer-nos perdoar [pelo rei e pelo governo francês] por ter sido enganados por eles [...]? Que posso fazer, senão permanecer silenciosa?".[15] Ela jamais esquecerá a inútil intriga de Luís Filipe. Em suas relações com ele e com sua família, a intimidade calorosa e amigável desaparece definitivamente. Só a personagem pública permanece. Ela nunca mais se entregará ao menor movimento espontâneo em relação a eles. Todos os seus gestos serão guiados por preocupações políticas. Ver-se-á mais tarde quanto sua atitude com Napoleão III e sua família será diferente, muito simplesmente porque os Bonaparte jamais lhe faltaram pessoalmente. Assim, no momento da morte da irmã tão querida de Luís Filipe, Madame Adelaide, Leopold sugere a Vitória escrever uma carta de condolências: "Creio que seria um ato de bondade escrever ao rei. Temos relações de família muito próximas para não o fazer, e isso o apaziguaria". Vitória, levando longe o escrúpulo constitucional, pede opinião a seu primeiro-ministro, Lord John Russell, que dá um parecer favorável; mas os ingleses desconfiam tanto da utilização política do menor avanço que ele esclarece à rainha que ela deverá explicar ao rei que se trata de um movimento absolutamente pessoal e não de um início de correspondência política. Com a habilidade de um diplomata tarimbado, Vitória escreve então, dando uma explicação plausível para seu atraso:

> Castelo de Windsor, 5 de janeiro de 1848.
>
> Sire e meu bom irmão, eu não queria seguir o impulso do meu coração, nos primeiros movimentos da viva dor de Vossa Majestade, escrevendo-vos — mas agora que a violência desse rude abalo talvez esteja um pouco abrandada, venho eu própria exprimir a Vossa Majestade a participação sincera que tivemos, o príncipe e eu, na cruel perda por que acabais de passar, e que deve deixar-vos um vazio irreparável.
>
> Tende a bondade, sire, de oferecer nossas expressões de condolências à Rainha, e, fazendo votos pela felicidade de V. M., digo-me, Sire e meu bom irmão, de V. M. a boa irmã, V. R.[16]

No entanto, acontecimentos muito mais graves ameaçam. A Revolução de 1848 eclode em fevereiro. O rei e sua família refugiam-se mais uma vez na Inglaterra. E tremem as cabeças coroadas...

Tudo se passa muito rápido. O rebate soa em Paris em 23 de fevereiro. O rei recusa defender-se pelas armas: "Já vi bastante sangue", geme ele. A família dispersa-se para se reencontrar na Inglaterra. "Que romance", exclama Vitória em seu diário. "*Je ne sais plus où j'en suis*[17] e tenho a impressão de que voltamos um século atrás", escreve ela ao tio Leopold, que conserva uma calma tão olímpica que ela continua a bombardeá-lo com perguntas:

> Que pensais dos últimos acontecimentos de Paris? [...] Não pensais que o rei deveria ter se retirado para Vincennes ou alhures [...] e ter se posto à frente do exército? Montpensier, pelo menos, deveria ter ido a Vincennes, não? [...]. Por certo, no último momento, se eles não tivessem partido, teriam podido ser todos massacrados. Acho, então, que talvez tenham razão; em suma, não puderam fazer outra coisa senão partir tão depressa. Posto isto, tem-se a impressão de que fugiram depressa demais. É verdade que a lembrança de Luís XVI [...] basta para justificar tudo. Isso não se discute. Mas os príncipes, pensa-se aqui, deveriam ter ficado. Que pensais disso?[18]

Leopold pensa, com sabedoria, que é preciso apoiar os bancos e acalmar os trabalhadores.

Para Vitória, o mais urgente é determinar a atitude a ser adotada com relação aos fugitivos. O primeiro-ministro decide que Sua Majestade não intervirá nos assuntos franceses, mas assumirá os deveres sagrados da hospitalidade. Em outras palavras, os Orléans podem permanecer na Inglaterra, mas o governo não fará nada para ajudá-los a reconquistar sua coroa e não lhes concederá nenhuma vantagem material. "Nenhum príncipe da família Orléans habitará um palácio pertencente a Sua Majestade", esclarece o ministro. O rei Leopold põe à disposição deles sua propriedade de Claremont. Vitória compreende tão bem o risco de intriga que pede instruções muito precisas sobre a conduta a ser mantida: "A Rainha está muito desejosa de adotar a melhor linha; está particularmente preocupada em não fazer nada que possa atingir os interesses do país enquanto testemunha toda a bondade possível a uma família real na desgraça".[19] Alegando o fato de que os Orléans são exilados e não pretendentes, ela pergunta se pode convidá-los a sua casa. É tão circunspecta que precisa a seu ministro que "podem produzir-se novos acontecimentos que mudariam a situação [...], e a Rainha se voltaria novamente para Lord John [...]. Tudo o que ela propõe aplica-se à situação presente e, evidentemente, a ocasiões privadas, jamais a manifestações oficiais. Isto é uma carta bem longa sobre esse assunto, mas a Rainha faz questão de estar certa do que faz e não teria podido expor o problema e sua opinião com mais brevidade".

Vitória não é bastante rancorosa para mostrar-se inutilmente dura com os exilados; de resto, ficou impressionada demais por todos aqueles acontecimentos para não se imaginar no lugar dos infelizes Orléans. Nunca abandonará, portanto, uma perfeita correção com eles, mas, salvo à sua prima Victoire, duquesa de Nemours, jamais lhes testemunhará a calorosa e atenta amizade que iluminará o exílio da imperatriz Eugênia. Ela se explicará em uma palavra a esta última, dizendo-lhe: "Os Orléans são parentes, mas não amigos".

No plano político, a Revolução de 1848 reforça a posição da Grã-Bretanha e, portanto, a de sua soberana. Três países apenas escapam ao turbilhão revolucionário — por razões diametralmente opostas: a Bélgica e a Grã-Bretanha graças ao bom funcionamento constitucional de seus governos e a Rússia em razão de seu despotismo implacável. Por toda parte, alhures, sopra o pânico, mais particularmente na Alemanha. Desde o anúncio da sublevação, o rei da Prússia não esconde seu terror e vai tentar a formação de uma frente comum com a Inglaterra:

> Rainha muito graciosa, minha irmã, neste minuto do dia em que as terríveis notícias de Paris chegaram a mim, ouso dirigir estas linhas a Vossa Majestade. Deus permitiu que se produzissem acontecimentos que ameaçam de maneira decisiva a paz da Europa [...]. Estamos em presença de um esforço para estender os princípios da revolução por todos os meios através da Europa [...]. As conseqüências para a paz do mundo são claras e certas. Se o partido revolucionário impuser o princípio da soberania dos povos, minha modesta coroa será destruída tão seguramente quanto o será o trono poderoso de Vossa Majestade, e um pavoroso flagelo desvastará a Europa.[20]

Em conclusão, ele incita a rainha da Inglaterra a preparar uma declaração comum advertindo o governo francês ou, antes, "esse caos, essa anarquia", contra qualquer veleidade expansionista. Ele não é o único a voltar seu olhar e sua esperança para a Inglaterra: a Áustria, os reinos de Hannover, da Baviera, de Nápoles, os incontáveis principados tremem ao evocar a temível França, novamente inquieta.

Mesmo o czar, conquanto menos ameaçado que as potências da Europa Central, sente vontade de escrever uma palavrinha de aproximação à sua boa irmã inglesa:

> São Petersburgo, 22 de março/3 de abril de 1848.
>
> Senhora minha irmã, mais do que nunca, senhora, no meio dos desastres que transtornam a ordem social, sente-se a necessidade de reatar os laços de amizade que se teve a felicidade de formar em melhores tempos; esses, pelo menos, nos restam, pois estão fora do alcance dos homens, e estou contente e feliz porque vosso nobre coração me compreenderá. Lançando os olhos sobre o que se passa, talvez Vossa Majestade conceda uma lembrança ao que tive a honra de lhe prever, sentado à mesa ao lado dela: quatro anos transcorreram, e o que resta ainda de pé na Europa? A Grã-Bretanha e a Rússia! Não seria natural concluir daí que nossa união íntima talvez seja chamada a salvar o mundo? Desculpai, senhora, este transbordamento de um coração que vos é devotado e que adquiriu o hábito de lembrar-se de vós.

> Ouso, com inteira confiança, contar com a amizade de Vossa Majestade e rogar-lhe que receba a certeza do inviolável afeto com que sou, senhora, de Vossa Majestade, o muito devotado e fiel bom irmão e amigo, Nicolau.[21]

Muito sabiamente, nem Vitória nem Albert deixam-se convencer. É preciso admirar o senso político que os guarda de todo afastamento de seu país. Os laços pessoais são úteis apenas na medida em que duplicam os laços oficiais. Os soberanos não devem em caso algum formar um grupo, mesmo real, à parte. De resto, não têm eles certo orgulho de constatar que a Grã-Bretanha serve agora de modelo para os espíritos reformadores? No século XVIII, o progresso parecia vir da França e dos Estados Unidos. Depois de 1815, a Inglaterra dá o exemplo dos benefícios de um governo estável e pode permitir-se apoiar os liberais europeus. A grandeza está toda do seu lado.

No momento, Albert, assim como Leopold, preocupa-se antes de tudo com a classe operária: "Interroguei-me longamente", escreve ele ao primeiro-ministro,

> sobre a situação do emprego em Londres e descobri, para meu grande pesar, que o número de trabalhadores desempregados, de todos os corpos de profissão, é muito elevado e aumentou em razão da diminuição de ritmo de todos os trabalhos encomendados pelo Estado, e isso para satisfazer aos clamores da Câmara dos Comuns, que quer economias a qualquer preço. Várias centenas de trabalhadores foram licenciadas no Palácio de Westminster; em Buckingham, poder-se-ia empregar muito mais gente; os trabalhos de Battersea Park foram suspensos etc... No entanto, este não é momento para os contribuintes fazerem economias nas costas da classe operária. Por certo, não desejo que nosso governo siga Louis Blanc em seu sistema de organização do trabalho, mas sou de opinião, contudo, que o governo tem o dever de fazer o possível para ajudar as classes trabalhadoras nesses momentos de miséria.[22]

As preocupações do príncipe Albert eram justificadas. Houve manifestações em Londres. Não se podia mais fechar os olhos e ignorar a miséria terrível que grassava no país. "Em Londres", escrevia Engels, "todas as manhãs, cinqüenta mil pessoas começam o dia sem saber onde dormirão à noite." É o começo da era industrial, da monstruosa exploração dos homens, do trabalho imposto a crianças de cinco anos, da miséria, muitas vezes da fome: "Há tantos elementos inflamáveis à nossa volta que se estremece",[23] confessa a rainha a seu primeiro-ministro. Pela primeira vez, escreve ela a Leopold, o futuro de seus filhos não lhe parece automaticamente assegurado; sua educação deverá permitir-lhes adaptar-se a todas as situações. "O futuro é muito sombrio", constata ela.

Vitória e Albert levam portanto a situação muito a sério, e uma evidência impõe-se a eles: a reação provoca a revolução. "O infeliz rei Luís Filipe ocasionou tudo isso com esse desastrado retorno a uma política Bourbon."[24] A rainha está de acordo com seu ministro, que sustenta que a proibição da liberdade de imprensa e de palavra, essência mesma do sistema Metternich, não podia durar. "Sim", responde ela, "o príncipe Metternich é responsável pela metade dos males de que sofre a Alemanha. Sua opinião, seguida pela maior parte dos soberanos, impediu-os de conceder a tempo as reformas que lhes foram arrancadas, com muitos dos direitos que teriam podido conservar."[25] Outorgar antes de ser forçado, eis o princípio fundamental dos soberanos constitucionais. E Leopold, Albert e Vitória sentem bem que uma evolução liberal é inevitável e que não podem contar com uma situação imobilizada. Em termos algo moralizadores e ingênuos, Vitória expõe sua teoria: "A posição dos príncipes é certamente difícil nestes momentos, mas seria muito menos se eles se conduzissem de maneira honrosa e reta, concedendo progressivamente as reformas: assim, dariam satisfação a todas as pessoas razoáveis e bem-intencionadas e enfraqueceriam o poder dos republicanos vermelhos; ao invés disso, a reação e o retorno à tirania e à opressão são o princípio ativo".[26]

A necessidade de definir uma política liberal e coerente impedirá o governo inglês de reconstituir a frente comum dos anos napoleônicos. O isolamento parece bem preferível a uma aliança duvidosa. Assim, à súplica histérica do rei da Prússia, Vitória responderá claramente que uma "expressão conjunta de opinião correria o risco de parecer um desafio e daria aos franceses a impressão de que nosso espírito de unidade tem aparências de coligação; eles poderiam facilmente tornar um ponto de honra resistir-lhe. Além disso, Lamartine nos mandou dizer por fontes privadas que todos os seus esforços dirigem-se para um novo governo estabelecido sobre bases pacíficas".[27]

De fato, Lamartine não consegue impor seu ideal "girondino" e é rapidamente ultrapassado pelas grandes insurreições socialistas de maio e junho, e "a extraordinária confusão que reina em Paris corre o risco de terminar em um *Blutbad*".[28] O "banho de sangue" será evitado pela aparição de Luís Napoleão, saudado paradoxalmente com satisfação na Inglaterra. "A eleição de Luís Napoleão parece assegurada, e confesso que a desejo, pois parece-me que ela levará a alguma coisa."[29] Na mesma noite, Vitória recebe a notícia da chegada de Bonaparte à presidência da República: "Estou muito contente com isso", comenta ela, "pois é um sinal de tempos melhores. Mas que se tenha podido desejar sua vinda é inteiramente fantástico".[30] Desde sua posse, o novo chefe de Estado escreve à sua "cara irmã e grande amiga" e, astuciosamente, dá um tom pessoal a essa missiva oficial: "Desejo exprimir a Vossa Majestade a respeitosa simpatia que sempre experimentei por vossa pessoa; desejo sobretudo dizer-vos quanto sou grato pela generosa hospitalidade que me destes em seus Estados quando eu era fugitivo ou proscrito, e quanto ficaria feliz se essa lembrança pudesse servir para estreitar os laços que unem os governos e os povos de nossos dois países".[31] Era bem assim que Vitória compreendia as Relações Exteriores.

Infelizmente para ela e para Albert, seu ministro das Relações Exteriores, Lord Palmerston, tinha pontos de vista diferentes sobre o assunto, e seus jovens soberanos não o intimidavam. Talentoso, a uma só vez experiente e impulsivo, Pam, como o apelidavam afetuosamente, tinha tendência a agir por sua própria cabeça. O primeiro-ministro, Lord John Russell, não lhe impunha muito respeito; era bem evidente que ele não ia deixar-se frear pela rainha e por seu esposo. Levou a mal até mesmo sua correspondência política: "É inconcebível", declarava ele, "que um soberano estrangeiro escreva à rainha da Inglaterra sobre assuntos políticos". Mandava abrir as cartas do casal real, apesar dos reiterados protestos. Albert passou a utilizar apenas um mensageiro pessoal para suas cartas enviadas ao estrangeiro.

Houve entre os soberanos e Palmerston uma verdadeira guerra de despachos. Constitucionalmente, a rainha tinha o direito de os ler e de propor mudanças, que o ministro não era obrigado a aceitar, mas ele tinha de redefinir sua posição. Palmerston dispensava essas formalidades que o faziam perder tempo. Às censuras de Vitória-Albert, respondia que 28 mil despachos passavam por seu ministério todos os anos: o que aconteceria se cada um deles devesse passar pelo crivo real? A política de Sua Majestade seria rapidamente paralisada. Lord Palmerston, que nascera em 1784, cinco anos antes da Revolução Francesa, retivera-lhe a lição: "Os soberanos contam pouco". Vitória e Albert, mesmo admitindo que tinham apenas um direito de controle, queriam, no entanto, que sua opinião fosse seriamente levada em consideração antes de ser rejeitada.

Uma outra preocupação os agitava. Sentiam-se pessoalmente responsáveis pela política inglesa, sobretudo com relação aos seus primos na Alemanha e em Portugal. Ora, o estabelecimento dessa política escapava-lhes completamente. A disparidade entre os poderes exercidos pelos soberanos na Europa e os deles tornava o desconforto dessa situação mais agudo ainda. Que fazer quando queixas lhes eram feitas? "Não faleis de política", retorquia Palmerston, "contai apenas vossas histórias de família." Nem Vitória nem Albert apreciavam o conselho. Haviam compreendido bem que o destino da Inglaterra não consistia em identificar-se aos despotismos europeus; tinham plena consciência do fato de que não deviam ditar a política da nação, mas não haviam apreendido que sua irresponsabilidade política os absolvia por antecipação. Recusavam a inocência e sentiam-se obrigados a explicar-se sobre decisões que não podiam controlar.

Esse desacordo nunca se transformou em crise constitucional. De um lado, Palmerston sabia fazer-se perdoar quando fora longe demais, e Albert não procurava provocar uma luta aberta que não podia terminar em vantagem da coroa. De outro lado, suas concepções fundamentais não estavam tão afastadas uma da outra. A superioridade do liberalismo jamais foi posta em discussão por Albert ou por Vitória, mesmo quando a impetuosidade de Palmerston lhes parecia carregada de riscos.

Lady Palmerston achava que a incompatibilidade de humor entre seu marido e a rainha explicava muitos dos conflitos. A brusquidão de Pam lhe parecia lamentável. "Creio", aconselhava-lhe ela, "que contradiz as opiniões da rainha com muito vigor [...]. Você acredita sempre poder convencer as pessoas por argumentos, mas ela não tem nem a reflexão nem o bom senso necessários para sentir-lhes a força [...]. Eu trataria suas declarações com mais ligeireza e cortesia, mas não discutiria com ela. Eu a conduziria com brandura, deixando-a acreditar que você e ela têm as mesmas opiniões e os mesmos desejos, mas tomam caminhos diferentes para chegar aos seus fins." O conselho teria sido perfeito se Vitória não tivesse Albert atrás dela. Ele tinha idéias muito claras e muito precisas para ser assim levado como uma criança, mas o futuro dará razão a Lady Palmerston, que se mostrava digna de seu irmão, Lord Melbourne, pela fineza e penetração de seu julgamento. Se Gladstone, mais tarde, tivesse sabido tratar a rainha com prudência, teria poupado muitos dissabores e ganho um tempo precioso. Quanto a Disraeli, seus sucessos posteriores com Vitória explicar-se-ão bem mais por sua maneira que por sua política.

A verdade é que Vitória e Albert tiveram, querendo ou não, de suportar o fogoso Palmerston até o golpe de Estado de Luís Napoleão. Aí, ele teve a imprudência de assinalar sua aprovação sem o acordo do primeiro-ministro. Era ir longe demais, e ele teve de apresentar sua demissão. "Meu caro tio", escreveu então Vitória, "tenho o maior prazer em vos anunciar uma notícia que, sei, vos dará tanta satisfação e alívio quanto a nós e ao mundo inteiro: Lord Palmerston não é mais ministro das Relações Exteriores."[32]

O desaparecimento, aliás momentâneo, desse temível adversário e o aparecimento de um "novo" na cena européia vão dar aos anos seguintes um perfume inebriante.

# 4

# *VITÓRIA E OS BONAPARTE*

*Bom-dia, meu irmão — Amigo e aliado — A alegria parisiense — Os anos negros — Sempre fiel*

Eles parecem antípodas um do outro: de um lado Vitória, bem estável em um sistema perfeitamente ajustado, contente e segura de si mesma, instalada em um papel familiar e nacional que lhe agrada, o que quer que diga dele, pondo nas nuvens as virtudes domésticas e "a dignidade moral" da corte. Do outro, Napoleão III, o aventureiro, o libertino, o jogador, imperador que se pretende, ou pelo menos se crê, republicano, borboleteando no meio de uma corte factícia, ruidosa, de novos-ricos... No entanto, eles se deram bem e sua amizade sobreviveu a todas as vicissitudes e a todos os afastamentos.

Seu encontro oficial aconteceu apenas em 1855, mas a estréia movimentada de seu "colega" não deixara a rainha indiferente. Apenas confirmada a notícia do golpe de Estado de 2 de dezembro, ela tomou imediatamente sua pena para ter a opinião do sagaz Leopold:

> Osborne, 4 de dezembro de 1851.
>
> Meu muito querido tio, eu vos escrevo uma palavra para saber o que pensais dos maravilhosos acontecimentos de Paris, realmente, dir-se-ia um romance ou uma peça de teatro! Qual será o resultado de tudo isso?
>
> Estou envergonhada de ter escrito, algumas horas antes, de maneira tão segura, que nada se passaria.[1]
>
> Esperamos as notícias de hoje com ansiedade. — Gosto de acreditar que as tropas são seguras e que a ordem prevalecerá por enquanto. Espero

que nenhum membro da família Orléans faça um gesto ou pronuncie uma palavra, mas que permaneçam completamente passivos.

Devo terminar agora. Sempre vossa sobrinha devotada, Vitória R.

Leopold responde com sua calma e sabedoria habituais:

É muito cedo para formar uma opinião, mas estou inclinado a crer que Luís Bonaparte terá êxito. O país está cansado e deseja a calma, e, se o golpe de Estado a der, não haverá oposição e se deixará o Governo Parlamentar e Constitucional adormecer por algum tempo. Suspeito que os grandes poderes continentais encarem um governo militar em Paris com prazer; eles vão um pouco longe em seu ódio por tudo que é parlamentar [...].

Se algo como um Império se estabelecer, talvez tenhamos de sofrer um pouco pois *la gloire française*[2] volta-se invariavelmente para as antigas fronteiras. Minha esperança é que eles terão muito que fazer no interior, pois os partidos ainda são fortes.[3]

Vitória e Leopold adotam a mesma política em relação a Luís Napoleão e preocupam-se sobretudo em acalmar os Orléans. "Precisamente porque estais aliados com os Orléans", sublinha Vitória, "deveis ser duplamente prudentes e não fazer nada que possa provocar a inimizade de Luís Napoleão [...]. A única política sensata para os Orléans é *de se faire oublier*[4] e permanecer absolutamente imóveis."[5] Um mês mais tarde, ela esclarece ainda sua posição: "Atentos, eis o que seremos e devemos ser. Tentaremos permanecer nos melhores termos com o Presidente, que é extremamente sensível e suscetível, mas pelo qual, devo dizer, nunca tive a menor hostilidade pessoal; ao contrário, creio que lhe devemos muito por sua atitude em 1849 e em 1850, e ele certamente tirou o governo francês da lama. Mas deploro a tirania e a opressão política praticadas desde o golpe de Estado [...]. Vossa posição é particularmente delicada, porém, repito-o mais uma vez, creio que ainda não há razão para alarmar-se; em todo caso, não mostrarei nenhuma inquietação".[6]

Ao longo do ano que transcorre, Luís Napoleão preocupa-se em "estreitar os laços entre a França e a Inglaterra" pelo meio tradicional do casamento. Manda sondar a rainha Vitória sobre a possibilidade de uma união com sua sobrinha Adelaide, filha de sua meia-irmã Feodora.

Vitória reage como velho cavalo político: ela não deve ser colocada na linha de frente sobre uma questão tão espinhosa, e censura seus ministros por não a terem protegido; pois, enfim, como responder de maneira satisfatória? Recusar é fazer afronta ao imperador, mas aceitar é "expor-se ao justo opróbrio que se liga, no espírito de todos os homens retos, aos atos políticos perpetrados na França desde 2 de dezembro de 1852". Além do mais, aos olhos das outras potências européias pareceria que a rainha pretendia separar-se delas para ligar-se à França em vista de uma vantagem estritamente familiar. Em sua resposta, ela sai-se bem recusando-se a tomar uma decisão no lugar dos pais da moça (o que não podia enganar ninguém) e sublinhando as dificuldades devidas à diferença de religião. O caso não se concluiu, para grande alívio de Vitória. Curiosamente, 25 anos mais tarde, ela alimentou por um momento a idéia de casar sua última filha, Beatriz, com o Príncipe Imperial, que compartilhava o exílio de sua mãe, a imperatriz Eugênia, na Inglaterra.

Mas voltemos aos inícios do Império. Recusar uma aliança íntima com Napoleão III é uma coisa, mas irritá-lo estupidamente como o fazem as grandes potências ao tardar em reconhecê-lo é outra: "A secura e o atraso em reconhecer nosso novo 'bom irmão' irrita-o muito e causa mau efeito na França. Não acho isso razoável. Uma contrariedade inútil pode provocar verdadeiros aborrecimentos. Querelar-se para saber como chamá-lo, quando foi felicitado e apoiado depois do golpe de Estado, parece-me muito *kleinlich* e absurdo, e penso que nossa conduta foi, todo o tempo, muito mais digna".[7] E, contrariamente ao czar, ela não espera para conceder o "bom irmão" a Napoleão III.

Essas bagatelas protocolares anunciavam iniciativas mais perigosas: desde 1854, caminhava-se para a guerra, mas desta vez a França e a Inglaterra uniam-se contra a Rússia. A Turquia fornecia o pretexto. A Rússia queria desmembrar o império turco, já bem enfraquecido, o que ia contra a política tradicional da Grã-Bretanha, que consistia em afastar a Rússia do Mediterrâneo e em proteger assim a rota das Índias. Napoleão III agarrou sua oportunidade e, aliando-se aos ingleses, lançou-se em sua primeira aventura militar.

Aproveitou-a também para estabelecer relações pessoais com Vitória. Ele já encontrara Albert, que fora visitar o campo de Saint-

Omer em 1854, e aceitara um convite para ir à Inglaterra no ano seguinte. Ele desembarcou com Eugênia em 16 de abril de 1855 e foi recebido com delírio. Essa primeira visita tinha um objetivo diplomático. Para surpresa e inquietação do ministério britânico, Napoleão III sugerira assumir pessoalmente o comando do corpo expedicionário na Criméia. Uma das razões do convite do governo inglês era incitá-lo a abandonar esse sonho por demais napoleônico; pois, afinal, as tropas britânicas nunca aceitariam estar diretamente sob as ordens de um Bonaparte! A rainha começou por insinuar quanto seria imprudente para ele arriscar a vida, depois, durante um conselho de guerra, pediu-lhe abertamente que não partisse. Obteve ganho de causa ainda mais facilmente porque ele temia as maquinações eventuais da oposição em sua ausência.

No plano privado, os resultados superaram as esperanças dos franceses. O imperador ganhou o coração da rainha tocando na corda sensível. Soube evocar todas as ocasiões em que pudera avistá-la em seu exílio na Inglaterra. Como ela fora comovente quando de sua primeira aparição no Parlamento! Ele chegara a pagar quarenta libras para contemplá-la, uma noite, na Ópera! Lisonjeada, comovida, ela derretia de enternecimento. A feição de espírito romântica e sentimental de Luís Napoleão a atraía. Assim, ele a fez notar, percorrendo as ruas de Londres, que suas iniciais entrecruzadas N E V A, que ornavam a frente das lojas, formavam o nome do rio que banhava São Petersburgo. Presságio feliz para seus exércitos. Essas bobagens encantavam Vitória.

Separaram-se, portanto, muito contentes um com o outro, e Napoleão III fortaleceu seu sucesso redigindo uma "carta de castelo" perfeita. Tendo compreendido bem que ela punha sua felicidade conjugal acima de tudo, ele passa por alto a política para insistir em sua acolhida "plena de graça e de afetuosa bondade". A afeição forma-se depressa entre esses soberanos burgueses. A família precede o Estado — o que pode fazer sorrir quando se pensa na carreira amorosa de Napoleão III —, e ele prossegue: "É impossível viver algumas horas em vossa intimidade sem sofrer o encanto da grandeza e da felicidade da mais unida das famílias [...]. Rogo a Vossa Majestade que exprima ao príncipe Albert os sentimentos sinceros que me inspiram sua franca amizade, seu espírito elevado e a retidão de seu julgamento [...]".[8]

Em seu arrebatamento, nossa Vitória transmite a carta a seu tio, com este comentário inesperado: "*Ele não fala com afetação* [...]. A recepção simples e amigável que lhe demos causou-lhe mais impressão, a ele e a ela, do que todas as exibições de homenagens oficiais". É preciso notar também que ela acrescenta palavras muito amáveis sobre Eugênia, gabando sua graça, sua elegância, sua doçura, suas maneiras. Essa benevolência de Vitória com as mulheres bonitas é um traço comovente de seu caráter, talvez devido à irrepreensível fidelidade de Albert. Ela o conservará por toda a vida. O contraste entre sua pesada silhueta e a encantadora esbeltez de Eugênia, que inaugurava a crinolina na Inglaterra, não a atormentava absolutamente. É verdade que ela compensava sua falta de elegância por uma segurança, um porte, uma dignidade toda real.

Depois da partida de Napoleão III, deu-se ao trabalho de redigir um longo memorando para analisar seus sentimentos e fixar sua opinião:

> Buckingham, 2 de maio de 1855.
>
> [...] De que ele seja um homem muito extraordinário, com grandes qualidades, não se pode duvidar. Eu poderia mesmo dizer um homem misterioso. Ele está muito evidentemente possuído de uma coragem indomável, de uma firmeza de visão inatacável, de uma grande confiança em si, de perseverança e de uma grande discrição; a isto, é preciso acrescentar uma grande fé no que chama de sua estrela, e uma crença nos presságios e nos incidentes relacionados com seu destino futuro que é quase romântica; ao mesmo tempo, é dotado de um surpreendente controle de si mesmo, de uma grande calma, mesmo de doçura, e de tal poder de fascínio que todos os que chegam a conhecê-lo mais de perto lhe são sensíveis. Em que medida suas ações são dirigidas por um forte senso moral do bem ou do mal é difícil dizer. De um lado, suas tentativas em Estrasburgo e em Boulogne, esta última depois de ter solenemente prometido jamais recomeçar semelhante diligência [...], depois o golpe de Estado de 2 de dezembro de 1851, seguido por uma forte [...] repressão e pelo confisco dos bens da desventurada família Orléans, incitariam a uma resposta negativa. Mas, de outro lado, sua bondade e sua gratidão com todos aqueles, grandes ou pequenos, que lhe testemunharam amizade ou o apoiaram ao longo de sua vida, sua conduta reta e firme conosco durante essa prova difícil e inquietante que já dura um ano e meio mostram que ele é animado por sentimentos nobres e justos [...]. É impossível conhecê-lo sem apreciar o que há de verdadeiramente amável, bom e honesto em seu caráter. Um outro traço notável e

importante de sua personalidade é que tudo aquilo que diz ou exprime é resultado de uma profunda reflexão e visa a um objetivo determinado e não simplesmente *frases de polidez*; assim, quando lemos seu discurso pronunciado na City, podemos estar certos de que pensa realmente o que diz, e, portanto, posso estar segura de que se conduzirá honesta e fielmente conosco [...]. Se o compararmos ao pobre Luís Filipe, eu diria que este último tinha um vasto conhecimento de todos os assuntos, uma imensa experiência das questões públicas e um espírito muito ativo; ao passo que o imperador possui um melhor julgamento e uma firmeza de visão muito maior, mas não tem a experiência das questões públicas e carece de aplicação mental. É dotado, como o falecido rei, de grande fertilidade de imaginação. Uma outra grande diferença entre o rei Luís Filipe e o imperador é que o pobre rei tinha um caráter absolutamente francês; tinha a vivacidade e a volubilidade desse povo, enquanto o imperador é tão pouco francês quanto possível; seu caráter é muito mais alemão que francês [...]. Como se poderia esperar que tivesse alguma experiência das questões públicas, se há seis anos vivia como um pobre exilado, tendo mesmo passado algum tempo na prisão, e nunca teve a menor participação nas questões de qualquer país que seja? Por conseguinte, é tanto mais surpreendente, eu diria mesmo incompreensível, que dê mostra de todas as suas qualidades de governo e desse maravilhoso tato na conduta e nas maneiras, que muitos filhos de rei, criados nos palácios e educados no meio dos assuntos públicos, nunca chegam a obter [...]. A grande vantagem da recente visita do imperador para a manutenção de uma aliança permanente entre a França e a Inglaterra, de importância tão vital para nossos dois países, é, aos meus olhos, a seguinte: a alguém de um caráter tão particular e cujos pontos de vista são tão pessoais, creio que a recepção amistosa, simples e sincera que lhe demos pessoalmente, no seio de nossa própria família, causará uma impressão marcante em seu espírito. Ele verá que pode contar com nossa amizade e nossa honestidade em relação a ele e a seu país enquanto nos permanecer fiel; ele tem um caráter franco e apreciará as vantagens a tirar dessa disposição, e, se refletir sobre a queda da última dinastia, verá que as rupturas de compromisso foram a causa disso [...]. Não se deve negligenciar tampouco que seus sentimentos amistosos para conosco e a Inglaterra (cujos interesses são inseparáveis dos nossos) são certamente aumentados pelo fato de que somos praticamente as únicas pessoas de sua posição que ele pôde conhecer em um pé de intimidade e, portanto, as únicas com quem pôde falar à vontade e sem reservas, o que naturalmente não pode fazer com pessoas de condição inferior.

Ele e a imperatriz acham-se na mais isolada das posições; não podem ter confiança nos únicos parentes que se encontram na França, e estão cercados de cortesãos e de servidores que, por medo ou por interesse, não lhes dizem a verdade. Portanto, é natural crer que ele não se separará facilmente daqueles que, como nós, não têm escrúpulo de lhe apresentar os fatos na realidade e cuja conduta é guiada pela justiça e pela honestidade. Irei mesmo mais longe, pensando que está em nossas possibilidades conservá-lo no caminho reto e protegê-lo contra a extrema leviandade e inconstância e, em certa medida, a falta de honestidade de seus próprios servidores e de sua nação [...]

Em suas reflexões muito características, encontra-se uma mistura de ingenuidade e penetração psicológica, aliada a uma grande confiança na ação pessoal dos soberanos. A disparidade entre os poderes de Napoleão III e os seus não a inquieta. A força de Vitória vem de que ela identifica-se com seu país e está convencida do poder simbólico de sua amizade. E, no entusiasmo de uma intimidade recém-criada, Vitória e Albert vão dirigir-se em visita oficial à França em agosto de 1855, no momento da Exposição. Nenhum soberano inglês pusera os pés em Paris desde 1431, data da coroação do bebê rei Henrique VI! Eles vão com os dois filhos mais velhos, Vicky e Bertie. Sucesso extraordinário. São instalados em Saint-Cloud, de onde saem para visitar Paris, onde tudo é "tão alegre, tão brilhante [...]. A ausência de fumaça contribui para essa brancura, esse brilho". Depois de um almoço no Eliseu, eles passam pela Concorde, os grandes boulevards, a rue de Rivoli "toda nova", a Sainte-Chapelle, Notre-Dame: "exterior magnífico, mas nada a admirar no interior"; no dia seguinte, é Versalhes. Ela não esconde sua admiração à vista desse "magnífico palácio, com seus terraços, seus jardins, suas fontes. É um conjunto enorme", prossegue ela em seu diário, "com construções sem fim e tudo do maior interesse histórico, que lembra Saint-Simon a cada passo". Depois a Ópera, o Louvre, a Exposição e a visita mais carregada de emoção, a dos Invalides ao túmulo do Imperador. "Talvez tenha sido", diz Vitória, "o acontecimento mais importante dessa visita tão cheia e tão interessante [...]. Quatro tochas nos iluminavam, o que aumentava a solenidade da cena; o órgão da igreja tocava 'God save the Queen' [...] e eu estava lá, diante do esquife de nosso pior inimigo, pelo braço de seu sobrinho, Napoleão III, eu, a neta do rei que tanto o odiara e tão vigorosamente se opusera a ele; e aquele sobrinho que usa seu nome e que se tornou meu aliado mais próximo e mais caro." Ela fez o pequeno príncipe de Gales ajoelhar-se.

E a ronda dos bailes, das festas, dos passeios e das conversações íntimas prossegue. Como sempre, ela arranja tempo para fazer um relatório ao tio Leopold:

> Estou maravilhada, encantada, interessada; divirto-me e creio que nunca vi algo tão belo e tão alegre quanto Paris e tão soberbo quanto todos esses palácios. Nossa recepção foi extremamente satisfatória. O entusiasmo e a gentileza são levados ao mais alto grau; o marechal Magnan [...] afirma que as manifestações que me saúdam todos os dias são mais alentadas e mais entusiastas mesmo do que as que Napoleão recebia na volta de suas vitórias! [...]. O imperador fez maravilhas por Paris e pelo bosque de Boulogne. Tudo é maravilhosamente montado na corte, tudo é tranqüilo e perfeitamente ordenado.[9] Devo dizer que nós dois estamos impressionados com a diferença em relação ao tempo do pobre rei, em que o barulho, a desordem e a agitação eram tão grandes [...]. As crianças adoram o imperador que é tão gentil com elas. Ele é muito fascinante, com sua grande calma e doçura. Suas maneiras são excelentes, e ele e a cara e tão encantadora imperatriz (que Albert ama particularmente) fazem as honras extremamente bem e com muita graça.[10]

Eles se separam com grandes protestos de amizade: "Vós me convidareis a Windsor, não é, no próximo ano [...] e vireis a Fontainebleau?", pergunta Napoleão III. Vitória responde que ficaria encantada se seu governo a autorizasse a isso. Ele não compreendia bem, observou ela, que a rainha não fosse inteiramente senhora de seus movimentos!

Ela voltou então para a Inglaterra seduzida pelos Bonaparte. Abrindo-se com seu velho conselheiro Stockmar, escreveu-lhe:

> Senti pessoalmente pelo imperador uma real amizade e uma verdadeira afeição [...]. Não conheço ninguém que me deixe mais à vontade ou com quem esteja mais inclinada a falar sem reservas; eu poderia facilmente lhe fazer confidências involuntárias. Ele também fica inteiramente à vontade conosco e falou-nos com a maior abertura e franqueza sobre todos os assuntos, inclusive O MAIS DELICADO, isto é, o da família Orléans [...]. Ele é tão simples, tão ingênuo, nunca é *afetado* [...]. O príncipe Albert, embora menos entusiasta do que eu, compartilha meus sentimentos.[11]

Ela ocultava tão pouco seus impulsos — não dissera com arrebatamento a seu ministro das Relações Exteriores, Lord Clarendon, que o imperador lembrava-se de todas as suas toaletes? — que se esteve a ponto de fazer comentários maldosos na Inglaterra! Lord Clarendon elaborou uma teoria: o sucesso de Napoleão vinha de que era o primeiro homem a ter cortejado Vitória; soubera lisonjear sua vaidade sem ofender sua virtude. É evidente que Vitória, apesar de tão leal a Albert, talvez sofresse com seu excesso de lógica, com sua implacável clareza. Ela gostava de um certo romantismo, o mistério não a afugentava. O lado aventureiro, um pouco malcomportado de Napoleão III excitava sua imaginação. Pode-se comparar o sucesso de Napoleão III junto a Vitória ao de Disraeli. Disraeli não obedecia, nem por suas origens, nem por seu caráter, nem por seu talento, ao modelo inglês clássico. Ele também seduziu a rainha dirigindo-lhe os cumprimentos mais pessoais e mais inverossímeis, utilizando a lisonja com o mesmo excesso e o mesmo sucesso que o imperador. Ambos aproveitaram disposições a uma só vez pueris e apaixonadas de Vitória. Há uma ausência de recato muito curiosa em Vitória, que foi mascarada por seu gênero de vida, sua viuvez e uma certa disciplina, mas que explode por momentos com grande violência e total desprezo pelos falatórios. Muito freqüentemente, Vitória, posta em presença de alguém que não estava convencionalmente destinado a agradar-lhe, tem um movimento espontâneo de afeição e se agarra a isso a despeito de tudo.

No caso de Napoleão III, a política iria separar os dois Estados ao longo do reinado e a rainha tinha demasiada consciência de seu dever político para tentar conservar uma relação pessoal que teria podido ser mal interpretada. Tanto mais que, depois da morte de Albert, ela cessou todas as visitas oficiais ao estrangeiro. Reviu Eugênia várias vezes, por ocasião de suas passagens por Paris, mas de maneira absolutamente privada. No entanto, à queda do Império, Vitória deu a medida de sua fidelidade. Como fizera com os Orléans, não cogita de esquecer qual fora a posição dos refugiados.

Depois de Sedan, Napoleão III foi feito prisioneiro pelos prussianos e a imperatriz fugiu para a Inglaterra com seu filho. Durante a guerra de 1870, a rainha e seu governo mantiveram-se na neutralidade, mas Vitória tendia para o lado da Prússia. Sua filha Vicky, instalada em

Berlim havia doze anos, tentava influenciá-la por todos os meios, sobretudo por uma crítica moralizadora do gênero de vida do Segundo Império: "Quanto mal a corte de Napoleão, e mais ainda essa Paris tão atraente, não fizeram à sociedade inglesa, ao teatro, à literatura! Que má influência sobre a aristocracia jovem e brilhante de Londres! Seria uma boa coisa se esses jovens tivessem tempo de refletir sobre as conseqüências de uma frivolidade e de um luxo imoderados: a depravação, a ruína e finalmente a desgraça do país. Nossa pobreza, nossas cidades sem brilho, nossa vida de esforços, de trabalho duro e sério nos tornaram fortes e determinados".[12] Depois da derrota de Sedan, a rainha Vitória mostrou-se mais compassiva a um só tempo com a França — intercedeu ao rei da Prússia para reduzir suas exigências — e com os infelizes soberanos: Napoleão III prisioneiro e Eugênia em fuga. Antes mesmo de ser certa a chegada de Eugênia à Inglaterra, ela lhe envia uma mensagem de amizade: "Senhora e cara irmã [...], penso com freqüência em vós neste tempo de terrível provação para vós e para tudo o que vos é caro. A lembrança dos tempos passados em que Vossa Majestade e o Imperador nos receberam sob seu teto hospitaleiro, as visitas que nos fizestes fazer e a bondade com que acolhestes nossos filhos não podem deixar-me insensível a vossa grande desgraça".[13]

No fim do mês de novembro, ela decide ir ver Eugênia, agora instalada em uma pequena casa em Kent, a meia hora de Londres. Chega acompanhada de sua filha mais nova, Beatriz, e encontra a imperatriz decaída, "vestida da maneira mais simples, sem jóias e sem o menor enfeite, os cabelos simplesmente postos para trás com uma rede. Ela demonstrou o maior tato, evitando qualquer assunto de conversação que pudesse ser incômodo, mas me perguntou se eu tivera notícias de minhas duas filhas, Vicky e Alice [...]. O príncipe imperial, um rapaz gentil, um pouco atarracado, estava lá".[14] Alguns dias mais tarde, Eugênia, sempre com seu filho, foi a Windsor devolver a polidez. Foi recebida à porta, portanto como uma soberana, por Vitória e seus filhos. Ao subir a escada, desfez-se em lágrimas e disse, soluçando: "*Isso me emocionou tanto*". Antes de partir, inclinou-se sobre a sepultura de Albert, no mausoléu. "*É muito belo*", disse ela, "*é quente e claro e, no entanto, sério.*"[15] A atitude doce, deferente e discreta de Eugênia justificava o comportamento de Vitória, as marcas exteriores de respeito, a preocupação com o bem-estar de sua protegida. Desde a morte de Albert, a infelicidade constituía o ambiente da corte. Eugênia, pondo a perda de Albert acima da de um império, conquistou definitivamente o coração de Vitória. Os sinais de consideração, destinados a apaziguar Eugênia, não tinham alcance político. Vitória, assim como Eugênia, sentia a distinção, contrariamente à princesa herdeira. Esta recebeu um biombo que as tropas alemãs haviam retirado do quarto de vestir da imperatriz em Saint-Cloud e o enviou à sua mãe, pedindo-lhe que o fizesse chegar a Eugênia. "Eu não quereria", explicou ela, "ter em minha posse um objeto que pertenceu à imperatriz, que sempre foi tão boa comigo e deu-me em diferentes ocasiões tão belos presentes. Não disse nada a Versalhes, nem ao rei, nem a Fritz, mas, como posso fazer dele o que quiser, permito-me pedir-vos, minha querida mamãe, que o devolvais quando julgardes bom. Evidentemente, não posso dá-lo enquanto estamos em guerra; de resto, considero que não faço mais que devolver esse objeto a seu justo proprietário."[16] A rainha Vitória não fez nada disso; estava de acordo com seu ministro, a quem comunicou sua decisão, sobre a incongruência de devolver à imperatriz, refugiada na Inglaterra, um objeto pertencente ao Estado francês. Aliás, esse biombo não era uma prova da pilhagem praticada pelos prussianos? Não, decididamente, era um presente envenenado. Ele foi devolvido a Berlim.

Com a chegada de Napoleão III, em março de 1871, essas excelentes relações impregnadas de polidez, de amizade e de consideração continuaram. Mais ainda, o encanto de Napoleão III exerceu-se novamente sobre a rainha. Desde sua chegada, saudada por grandes vivas, ele foi convidado a Windsor: "Eu o acolhi à porta", anotou a rainha em seu diário, "e beijei-o *comme de rigueur*.[17] Foi um momento carregado de emoção. Eu pensava na última vez que ele viera aqui, em 55, em pleno triunfo, trazido de Dover por meu Albert bem-amado, o país tão feliz de recebê-lo, e agora! Ele parecia muito deprimido e tinha os olhos cheios de lágrimas, mas controlou-se e me disse: 'Fazia muito tempo que não via Vossa Majestade'. Ele tornou-se muito pesado, todo grisalho, seus bigodes não são mais ondulados nem lustrosos como antes, mas tem sempre essa maneira tão agradável e tão doce".[18] Ela admirava o estoicismo com que ele suportava suas provações. Nunca se queixava, ao contrário de seus companheiros, do tempo, da comida nem do tédio, e isso conquistou-lhe a simpatia de Vitória, tanto mais que o papel maquiavélico de Bismarck lhe foi então revelado por seu genro, Fritz. Tudo concorria, portanto, para restaurar a antiga confiança. Vitória não poupava nenhum esforço para ser agradável ao casal imperial; multiplicava as visitas e os presentes. Convidava-os a Buckingham nos dias de grandes manifestações oficiais porque eles haviam manifestado o desejo de ver os desfiles. Mas Napoleão III era um homem doente. A rainha enviou-lhe seus médicos, sem grande resultado. Ele morreu em conseqüência de uma operação, em 9 de janeiro de 1873. "Estou perturbada", escreveu ela, "tinha uma grande consideração pelo imperador, que era tão amável, tão bom e que suportou suas terríveis provações com tanta doçura, dignidade e paciência."[19] No momento da morte de Luís Filipe, ela contentara-se em enviar uma palavra à família antes de partir, como previsto, para a Escócia. Aqui, as circunstâncias afetivas são completamente diferentes. Seu pesar é sincero. Ele fica evidente na carta que ela envia imediatamente a Eugênia, assinada como nos belos dias do Império: "de Vossa Majestade Imperial, a irmã afeiçoada, Vitória R.". Sua cólera contra os médicos é a de uma parenta. Ela especifica a Augusta, que se tornou imperatriz da Alemanha, que está "furiosa com a horrível indelicadeza com a qual os jornais publicam detalhes, dia após dia. Os médicos, e particularmente os cirurgiões, são açougueiros; a maior parte não tem sentimentos". Ela teria desejado muito ir ao enterro, mas podia fazê-lo sem correr o risco de ofender a República francesa? Isso lhe pareceu impossível, mas concedeu ao príncipe de Gales, apesar da oposição de Gladstone, a permissão para representá-la. Gladstone fulminou "a total falta de senso político do príncipe, herdada ou adquirida". Em vão. Vitória tornara-se quase bonapartista. Escreveu ao biógrafo de Albert: "A Rainha não pensa que o movimento bonapartista sofra com a morte do pobre imperador, bem ao contrário. Para a paz da Europa, ela crê (embora os príncipes Orléans sejam caros amigos, e ela não desejasse por nada no mundo que estas palavras lhes fossem relatadas como vindas dela) que seria preferível, no final das contas, que fosse o Príncipe Imperial quem chegasse ao trono".[20] Evidentemente, não acreditava muito no futuro da República.

Ela não se contentou com consolos verbais: transferiu para o filho a afeição que tinha pelo pai. No momento, o rapaz, Louis, ia à escola militar de Woolwich, onde dava toda a satisfação. A rainha acompanhava o desenvolvimento de seus estudos com atenção e assinalou a satisfação que lhe proporcionaram seus bons resultados em uma carta dirigida ao duque de Cambridge, comandante-chefe do exército: "Quem sabe o que o futuro lhe reserva? Estou certa de que a escola sempre estará orgulhosa por ele ter-se distinguido quando de seus estudos, ter sempre cumprido tão honrosamente seus encargos e, sobretudo, por sua excelente conduta". Decididamente, o rapaz agradava-lhe muito; tornara-se bonito; mostrava-se entusiasta e surpreendentemente seguro de si. Henry Ponsonby, o secretário da rainha, sempre afirmava ter conhecido apenas duas pessoas a ficar completamente à vontade com a imperiosa pequena dama: seu servidor escocês, John Brown, e o Príncipe Imperial.

Depois de um jantar em Osborne em que Louis, sentado ao lado da rainha, tagarelara incessantemente com ela, para surpresa dos outros convivas, que tinham a maior dificuldade em encontrar um assunto de conversação, perguntaram-lhe se ela não lhe dava medo. "E por quê?", respondeu ele, espantado. "Nós nos gostamos muito." Isso era tão verdade que se começou a calcular as possibilidades de um casamento com a princesa Beatriz, a filha caçula da rainha. Não era que Vitória tivesse pressa de separar-se dessa companheira dócil, mas como ficar completamente insensível a esse candidato tão sedutor? Nada de preciso transpirou desses projetos, mas os partidários dessa hipótese alimentam-na do presente de Eugênia a Vitória de uma magnífica cruz de esmeraldas destinada "à mulher de Louis", da presença no gabinete de Beatriz, até o fim de sua vida, da foto do Príncipe Imperial e, sobretudo, da precipitação com que Beatriz, à morte de Eugênia, pediu a destruição de suas cartas de posse da imperatriz.

Aos 23 anos, o Príncipe Imperial não pensava em casar-se. Sonhava com a glória militar; queria vingar seu pai; queria mostrar-se digno de ser Napoleão IV. Mas as oportunidades eram raras. A Inglaterra estava em paz com o resto do mundo. Combater na Europa? Por quem? A espada queimava-lhe os dedos. De súbito, em 11 de fevereiro de 1879, surgiu uma possibilidade. Na África do Sul, em Natal, o exército inglês tivera de recuar diante de um punhado de zulus. Consternação na Grã-Bretanha. Fúria. É preciso vingar a honra. Ninguém é mais fogoso que o príncipe Louis. É uma campanha ideal para ele: nada de complicações européias. Lutar pela Inglaterra é uma maneira de pagar sua dívida de gratidão. E, sobretudo, como um Bonaparte não sonharia ir colher louros na África? Talvez a história recomece. De início, o governo inglês recusa suas ofertas de serviço. Sua mãe defende sua causa. Ele ganha o apoio da rainha. Finalmente, o conselho de ministros cede a contragosto. "Tenho a consciência tranqüila", diz Disraeli, "fiz tudo o que pude para o impedir de partir. Mas que fazer contra duas mulheres obstinadas?" O príncipe despediu-se da rainha antes de embarcar. Eugênia o acompanha até Southampton. De volta a casa, ela encontra um telegrama de Vitória: "Peço-vos que aceiteis, minha cara irmã, toda a expressão de meus bons votos por vosso filho bem-amado".

O governo especificara que o príncipe partia como observador e não como combatente. Como imaginar que ele ia contentar-se com a inação? Em 19 de junho de 1879, quatro meses depois de sua partida, a rainha recebe a horrível notícia de sua morte. Durante uma pequena expedição, o acampamento dos ingleses foi atacado pelos zulus. Ao que parece, os ingleses fugiram, abandonando o príncipe, sozinho, diante de uns trinta atacantes. No dia seguinte, os ingleses, voltando ao local, encontraram o corpo do príncipe trespassado por dezessete ferimentos, todos recebidos pela frente. O chefe da expedição, capitão Carey, foi citado em uma corte marcial. A rainha, desolada por esse novo golpe da sorte, preocupa-se antes de tudo com a pobre Eugênia. Faz o necessário para que esta não receba a notícia pelos jornais e envia até ela Lord Sydney, para a prevenir. O pesar de Vitória tem um duplo aspecto. Pessoal, em primeiro lugar. "Estou realmente no desespero", escreve ela em seu diário. "Ele era amável, tão bom; teria dado um dia um tão bom imperador dos franceses [...]. Noite má. Impossível encontrar repouso. Perseguida por esse terrível acontecimento; tenho constantemente esses horríveis zulus diante dos olhos [...]. Pobre, infeliz imperatriz, seu único filho, seu tudo, desaparecido."[21] Ela vai em socorro da imperatriz, força-a a tomar algum alimento. Sente bem que a perda desse filho único é comparável à que sofreu na pessoa de Albert e admira ainda mais a atitude de Eugênia. "Sua conduta", escreve ela a Disraeli, "está acima de qualquer elogio. Sua resignação sem murmúrio, sua submissão à vontade de Deus, sua convicção de que não podia ser de outra maneira, sua recusa absoluta de condenar quem quer que seja são admiráveis, mas seu coração está partido." A alusão à recusa de condenar evoca o outro aspecto da tristeza da rainha: está profundamente envergonhada da conduta de seus soldados; sua covardia provoca-lhe literalmente horror, e talvez o remorso por ter contribuído para a partida do príncipe tenha algo a ver com isso. Tendo o duque de Cambridge comunicado a ela o transcurso da corte marcial do capitão Carey, exclama: "Que terrível testemunho! Todos eles foram tão indiferentes à sua sorte".

Talvez para reabilitar-se, para acalmar uma espécie de remorso, a verdade é que ela abandona todo senso político, toda medida para organizar os funerais solenes de Louis. Choca-se violentamente contra seu governo. Disraeli lembra-lhe inutilmente que se rogara a Louis que não lutasse e, portanto, é injusto condenar o exército inglês por sua morte. Em vão, Lord Salisbury opõe-se a essa manifestação de "autocrítica nacional". Ela obstina-se e obtém um enterro quase oficial, ao qual ela própria assistirá. Deixa a Lord Salisbury o cuidado de explicar ao embaixador da França que todo esse cerimonial não implica nenhuma vontade de ofender a República francesa.

No fundo, a rainha não detestava os enterros. A atmosfera trágica e espetacular deste tinha tudo para agradar-lhe. Além do mais, dava-lhe a oportunidade de fazer o bem; de fato, ela não duvidava das virtudes consoladoras de sua presença. Enfim, o espetáculo de todos aqueles Bonaparte reunidos espicaçava sua curiosidade. Ela deixou uma descrição minuciosa em seu diário:

> Fomos recebidos à porta por Lord Sydney, a princesa Mathilde, que eu não vira desde 55 em Paris, o príncipe Napoleão com seus dois filhos, Victor e Louis, o príncipe Lucien Bonaparte (o cientista que mora na Inglaterra), o príncipe Carlos Napoleão, seu sobrinho [...]. Fizeram-nos entrar imediatamente na capela ardente onde tudo estava muito belo. Tudo recoberto de branco com círios acesos por toda parte [...]. Depositamos nossas coroas, ajoelhamo-nos pelo tempo de uma breve prece e nos retiramos.
>
> Introduziram-nos então em um aposento bastante grande que servira de gabinete ao imperador e que a pobre Eugênia acabara de arrumar para seu filho. Os príncipes e a princesa Mathilde juntaram-se a nós e o prínci-

pe Napoleão apresentou-nos os diferentes membros da família. Ele foi muito polido e me pareceu muito abatido e embaraçado. A princesa Mathilde estava muito pouco mudada [...]. Como eu observasse ao príncipe Napoleão quanto todo o caso era terrível, ele me disse: "*C'est bien triste. Votre Majesté a été si bonne*". A princesa Mathilde repetiu a mesma coisa e acrescentou: "*Il s'est précipité. Il devait avoir l'esprit malade*". Respondi que, na minha opinião, ele apenas dera prova do desejo natural de distinguir-se e de *faire quelque chose*.[22]

Vitória observou os preparativos da cerimônia. O caixão, carregado pelos oficiais da Artilharia Real, foi posto sobre um carro de artilharia. Os quatro filhos da rainha, o duque de Cambridge, o príncipe herdeiro da Suécia, o duque de Bassano e M. Rouher, o chefe do partido bonapartista na Assembléia, seguravam os cordões do pano mortuário. Depois a rainha e seu séquito foram tomar lugar em assentos elevados sob um dossel para ver passar o cortejo. Precedendo o caixão, desfilaram duzentos cadetes militares e os membros do clero, a família Bonaparte, enfim os genros e os sobrinhos da rainha, um "número imenso de generais ingleses [...] e, finalmente, uma massa de franceses que formaram uma procissão comovente e solene e, no entanto, não absolutamente lúgubre [...]. Quase 2 mil pessoas desfilaram em um fluxo ininterrupto, praticamente todos franceses, de todas as classes, todos levando violetas, coroas e também bandeiras trazidas da França".[23]

A rainha foi despedir-se da imperatriz, que lhe agradeceu "por todas as suas bondades". De volta a Windsor, ela telegrafou a Disraeli para lhe assinalar "sua extrema satisfação" pelo transcurso da cerimônia. "Espero", escreveu Disraeli à sua amiga Lady Chesterfield, "que o governo francês esteja igualmente contente."

A imperatriz Eugênia nunca tivera boas relações com a família de seu marido. Não contava, portanto, aproximar-se deles nem abandonar a Inglaterra. Foi por isso, ou simplesmente por tato e generosidade, que fez todo o possível para acalmar o escândalo da morte do filho? Intercedeu junto ao duque de Cambridge para fazer absolver Carey: "Basta de recriminações. Que a lembrança de sua morte una em um pesar comum todos aqueles que o amaram e que ninguém sofra em sua reputação ou em seus interesses. Eu, que não desejo mais nada nesta terra, vo-lo peço como uma última súplica". Enquanto a anglofobia aumentava entre seus companheiros assim como na França, onde rumores atribuíram a morte do príncipe a assassinos ingleses, Eugênia permaneceu perfeitamente leal com o país que a acolhera. Onde poderia ela esperar ser tratada com tanta consideração e afeição? De fato, em seu luto, foi cercada por toda a família real, tanto pela rainha como por seus filhos. Houve mesmo uma tempestade política provocada pelo desejo da rainha de imortalizar o príncipe em uma estátua.

A rainha Vitória entendia de honras fúnebres: uma obra de pedra impunha-se. Formou-se um comitê, sob a égide de seus filhos, que encomendou uma estátua jacente para ser posta na abadia de Westminster. Era esquecer o sentimento nacional inglês: um Bonaparte em Westminster. Chocante! Além disso, o insulto à França republicana era tanto mais gratuito porque a guerra contra os zulus nunca fora popular; e a opinião pública pressentia que o Príncipe Imperial engajara-se mais por sua glória pessoal que pela defesa do império britânico. Houve uma manifestação de vários milhares de pessoas, uma polêmica vigorosa nos jornais, e, finalmente, a questão foi levantada no Parlamento, onde uma maioria definiu-se contra o projeto. A fúria da rainha explodiu em uma carta ao seu primeiro-ministro, Gladstone, que substituíra Disraeli em abril de 1880: "A Rainha está profundamente chocada e desgostosa pelo sucesso da moção de Mr. Briggs,[24] pelos termos utilizados a respeito de um dos aliados mais fiéis da Inglaterra, assim como pela falta de sentimento e de cavalheirismo mostrada para com a memória de um jovem príncipe que tombou em razão da covardia e do abandono de um oficial britânico. O caráter sem mácula, o grande senso de honra e as nobres qualidades do príncipe justificavam um monumento que teria contribuído para a glória da abadia de Westminster, que abriga muitos restos mortais de mérito constestável".[25] Ela não se reconhece vencida: desafiando os oponentes, que qualifica de "limitados, ignorantes e radicais", decide pôr a estátua de Louis em Windsor, na capela Saint Georges, e consola Eugênia, perturbada pela violência do incidente, dizendo-lhe que prefere ter Louis entre seus próximos, em uma capela mais íntima.

Até sua morte, Vitória continuou a ver Eugênia muito regularmente, na Inglaterra, na Escócia ou na Côte d'Azur: duas sobreviventes de uma outra época que se tratavam cerimoniosamente de "minha irmã", trocando velhas lembranças e pequenos mexericos. À morte de Albert, em 1861, Vitória pensava não poder sobreviver a ele; Eugênia afirmava estar "morta" em 1870: isso não as impediu de durarem ainda quarenta anos uma e a outra, cinqüenta![26]

A despeito das incertezas da vida política, a amizade de Vitória pelos Bonaparte não foi desmentida. Nessas relações complexas em que é difícil estabelecer bem a diferença entre afeição pessoal e interesse político, ela conseguiu dar prova de uma lealdade surpreendentemente eficaz. Conservou, de sua juventude, sua inclinação por esses Bonaparte tão pouco convencionais, tão movimentados, cuja carreira acidentada contrastava tão fortemente com a sua. Uma certa boêmia, uma boêmia real, não lhe desagradava. No que se referia a esses franceses tão inesperados, pendia para o lado do príncipe de Gales que para o da severa Vicky.

É lamentável para a primeira *Entente Cordiale* que as relações pessoais entre as duas cortes tenham sido interrompidas depois dos anos 60, pois conversações privadas talvez pudessem ter influenciado os pontos de vista inquebrantavelmente pró-prussianos da rainha e ter moderado os impulsos desordenados de Napoleão III. Mas a morte de Albert transtornou tão profundamente Vitória que o curso normal de seu reinado foi afetado. Em seu isolamento voluntário, ela continuou a dialogar com seus filhos estabelecidos em tronos europeus, mas recusou-se, daí em diante, a bancar o embaixador extraordinário, o que teria sido a única maneira para ela de continuar a ter um papel realmente influente na Europa.

# 5

# *A MORTE DE ALBERT*

*Nada iguala a minha dor — Vosso Papai bem-amado — Os abusos do culto — Os privilégios da desventura*

O tempo passara muito depressa. Vinte e um anos já, desde seu casamento. Vitória sentia-se jovem ainda; seu último filho tinha quatro anos. Por certo, ela enfeara extremamente, mas sua saúde estava melhor do que nunca. Sua vitalidade não enfraquecia; continuava a congelar sua *entourage* com a mania das janelas abertas com qualquer tempo; montava regularmente a cavalo e gostava de banhar-se nas águas frescas de Osborne. Albert envelhecia menos bem. Ele também engordara, perdera os cabelos, queixava-se do estômago e sofria de insônia. Ela não notava nada, ele continuava seu maravilhoso Albert. Se pelo menos ele consentisse em trabalhar um pouco menos e permanecer mais freqüentemente a seu lado! "Ele é muito irritante", queixava-se ela a Vicky, "com suas impaciências e seu amor excessivo pelo trabalho."[1] Stockmar, mais perspicaz, via bem que todos os males de Albert, imaginários ou não, mascaravam um cansaço de viver, um tédio fundamental aumentado pela partida de sua filha primogênita, única de sua família a ter-lhe oferecido uma companhia intelectual. Aliás, ele confessara à sua mulher: "Não sou como tu. Não me agarro à vida".

O ano de 1861 começou mal para eles. A duquesa de Kent morreu em março e Vitória, muito impressionada com essa primeira morte em seu círculo próximo, sofreu uma verdadeira depressão nervosa. Não suportava mais niguém à sua volta, exigia tomar todas as refeições a sós. Os filhos a irritavam mais do que nunca, sobretudo os grandes. No entanto, era preciso cuidar deles, procurar uma mulher para o príncipe de Gales, acompanhar Alice, que acabava de ficar noiva do grão-duque de Hesse. Vitória bloqueava-se, fechava os olhos, tapava os ouvidos. Sua conduta provocou os mais malévolos rumores: muita gente ainda se lembrava da loucura de George III. Ela teria desejado que Albert cuidasse dela, à exclusão de todas as coisas; mas ele, recusando-se a entrar em seu jogo, não abandonava o trabalho. A impaciência o tomava: "Aprender a controlar teus sentimentos, eis o que deves esforçar-te em fazer". Quando, enfim, ela recuperou a posse de si mesma, foi ele quem caiu doente de uma febre maligna. Não lutou contra a morte, que sentia chegar, e foi levado em quinze dias. Morreu em 14 de dezembro de 1861. Tinha 42 anos.

Essa data marca uma ruptura definitiva na vida pública e privada de Vitória. Até 1861, seu reinado parece luminoso: ela conduz simultaneamente, e com sucesso, política e família. Depois, instala-se uma sombra. Ela se retira voluntariamente da frente da cena, abandona o aspecto representativo de seu ofício real e cria essa personagem ambígua e misteriosa da "Viúva de Windsor". Arrancando-se do leito de morte de seu marido, gritou que seu reino estava terminado, e, em certo sentido, não se enganava. Ela admitira havia muito tempo que as qualidades intelectuais de Albert, acrescentadas ao seu gosto pelo trabalho e ao seu senso do dever, faziam dele o verdadeiro responsável por sua equipe. E não era a única a conferir-lhe uma importância excepcional. Por certo, para o público, só ela encarnava a coroa; Albert era apenas o consorte e um consorte que nunca foi o favorito das multidões. Mas, para o círculo mais restrito dos políticos, ele ocupava um lugar considerável no mecanismo do Estado e era preciso contar com ele. Ele expusera a concepção de seu papel em uma carta ao duque de Wellington:

> Uma rainha tem numerosas e grandes desvantagens com relação a um rei; contudo, se é casada e seu marido compreende e faz seu dever, sua posição pode beneficiar-se de muitas compensações e, com o tempo, tornar-se mais forte ainda que a de um rei. Mas isso exige do marido que ele funde sua existência individual na de sua mulher; que não procure alcançar nenhum poder para si próprio [...]; que não assuma nenhuma responsabilidade distinta [...] e que zele continuamente pelo transcurso de seus assuntos para poder aconselhá-la [...]. Chefe natural de sua família, superintendente da Casa, diretor de seus assuntos privados, único conselhei-

ro confidencial [...], ele é, além disso, o marido da rainha, o tutor dos filhos reais, o secretário privado da soberana e seu ministro permanente.[2]

Albert considerava-se, portanto, uma espécie de primeiro-ministro vitalício, e os ministros, não se enganando quanto a isso, invejavam-lhe precisamente essa suprema vantagem da permanência.

Aos 42 anos, já se podia reconhecer nele uma excepcional autoridade: como não imaginar o prestígio de que teria sido aureolado se o curso normal de sua vida não tivesse sido interrompido? "Com o príncipe Albert", escrevia Disraeli, "enterramos nosso soberano. Esse príncipe alemão governou a Inglaterra, durante 21 anos, com uma energia e uma sabedoria de que nenhum de nossos reis jamais deu prova [...]. Se tivesse sobrevivido a algumas de nossas estrelas, ele nos teria dado a bênção de um governo absoluto."[3] De resto, pode-se supor, com Lytton Strachey, que, diante de um poder monárquico real, tal como o teria instalado Albert, as forças republicanas ter-se-iam unido para o derrubar, ao passo que o próprio caráter indistinto da ação de Vitória protegeu seu trono dos ataques "radicais". A verdade é que, depois de 1861, o poder político encontrou-se irrestritamente nas mãos dos ministros. Levantava-se mesmo a questão de saber se a rainha seria capaz de continuar a cumprir seu papel, a tal ponto a violência de seu pesar fazia temer por sua razão.

Felizmente para seu equilíbrio, Vitória tinha a capacidade de exteriorizar sua dor. Analisar seu pesar tornou-se-lhe indispensável; a constante evocação de lembranças lancinantes a acalmava. Assim, as incontáveis cartas dirigidas a seu tio e à sua filha mais velha, verdadeiras litanias queixosas, proporcionaram-lhe um alívio salutar. Nenhuma reserva nesse transbordamento de aflição. Nos primeiros momentos, ela reencontra em Leopold a figura do pai de que sempre precisou:

Osborne, 20 de dezembro de 1861.

Meu pai tão bom e tão amado, MEU PAI, pois sempre vos amei como tal! O pobre bebê de oito meses, privado de pai, tornou-se a viúva de 42 anos, esmagada, de coração irremediavelmente partido! Minha vida de felicidade está terminada! O mundo desapareceu para mim! Se devo continuar a viver (e não farei nada para agravar meu estado), de agora em diante será apenas por nossos pobres filhos órfãos — por meu infeliz país que, ao perdê-lo, perdeu tudo — e para realizar o que ele teria desejado fazer. Conheço e sinto seus desejos, pois ele está perto de mim. Seu espírito me guiará e me inspirará! Mas, ah!! ser assim dilacerada aos 42 anos — quando esperava com uma certeza instintiva que Deus não nos separaria jamais e nos permitiria envelhecer juntos (embora ele evocasse sempre a brevidade da existência) — é muito terrível, muito cruel! No entanto, isso deve ser para seu bem, para sua felicidade! Sua pureza era muito grande, suas aspirações muito elevadas para este miserável mundo [...]. Sempre vossa devotada e infeliz filha, Vitória R.

Instintivamente, ela voltou-se também para sua filha mais velha. Na crueldade de seus primeiros momentos de luto, Vitória não suportava o cotidiano. Já à morte de sua mãe, anotara quanto "o menor retorno aos hábitos diários" lhe era penoso. Que a vida pudesse continuar causava-lhe horror. Tudo o que constituíra seu universo familiar a feria pelo que lhe parecia indiferença à sua perda. Paradoxalmente, nessas condições, nada aproximou mais mãe e filha do que a distância física que as separava. Além disso, Vitória podia contar com o pesar de sua filha. Sabia que Vicky, mais que seus irmãos e irmãs, avaliava sua perda. Os conselhos e o apoio do pai lhe haviam sido preciosos demais para que subestimasse o isolamento de sua mãe. Acrescentemos que, casada e feliz no casamento, ela sentia mais intensamente que os outros o que doravante faltaria à sua mãe. Pois a dor de Vitória não tinha nada de desencarnado. Nas primeiras noites, ela adormeceu apertando contra si a roupa de dormir de Albert: uma longa ceroula com pés. "Que noite pavorosa", lê-se em seu diário, "que contraste com a ternura de meu amor." Enfim, a princesa era parecida com o pai, e, imediatamente, Vitória, sublinhando suas afinidades, encontrou conforto em pedir-lhe conselho como para agarrar-se ao desaparecido.

Vicky esperava seu terceiro filho quando a notícia da doença e da morte de seu pai lhe foi anunciada. Não pôde ir para a Inglaterra e, em seu desespero, clamou: "Por que a terra não me engole? Estar longe de vós neste momento é uma tortura que não posso descrever".[4] Seus prantos entravam em sintonia.

Vitória, já em 18 de dezembro de 1861, respondeu-lhe em uma longa carta:

Que vai ser de nós? De nosso desafortunado país? Da Europa? De tudo. Para todos vós, a perda de um pai assim é totalmente irreparável! Farei tudo para viver segundo seus desejos — viver para todos vós e para meu dever. Mas como? Eu, que me apoiava nele para tudo e para todas as coisas — Sem ele não fazia nada, não mexia um dedo, não colocava uma gravura ou uma fotografia; não punha um vestido nem um chapéu sem seu acordo, como poderia continuar a viver? a mover-me? A encontrar uma ajuda nos momentos difíceis? Como sua opinião me faltará! Oh! é realmente muito, muito pesado! O dia — a noite (sobretudo a noite) são muito tristes e fatigantes. Os dias não acabam nunca.[5]

Desde essa primeira carta, ela alude francamente à repulsa que sente por Bertie, seu filho primogênito. Todos os filhos, diz ela, demonstram-lhe uma grande ternura, mas "um deles (que faz o melhor possível e sente profundamente o seu pesar) é tão completamente diferente do pai que é uma cruz". Imediatamente também, projetos de monumentos que vão ocupá-la por longos anos: "Eu precisaria de teu gosto para levar a bom termo trabalhos em sua memória; trabalhos que só ele teria podido ajudar-me a tornar dignos dele! Conheces seu gosto. Herdaste-o dele. Escolhi esta manhã um lugar nos jardins de Frogmore para um mausoléu para nós".

Apesar da violência de sua dor, ela recupera-se bem depressa, não apenas para expedir as questões correntes, mas também para tomar decisões concernentes à sua família. Contudo, a expressão de seu pesar não se atenua por isso: "Sou como uma pobre lebre perseguida, como uma criança que houvesse perdido a mãe, tão perdida, tão assustada, tão desarmada".[6] Bem antes da morte de Albert, Vitória sublinhava o caráter filial de seu sentimento por ele: "Ele é meu pai, meu protetor, meu guia e meu conselheiro para tudo, minha mãe (quase poderia dizer), assim como meu marido".[7] Albert geralmente começava suas cartas à mulher por "Querida filhinha" ou "Minha boa filhinha".

À sua filha, ela confessava: "Não tenho nenhum sossego, nenhum verdadeiro sossego, nenhuma paz, nem de dia nem de noite; durmo, mas de tal maneira que estou ainda mais fatigada de manhã do que à noite; desperto constantemente com o sentimento confuso, irreal, de alguma coisa que me esmaga! Oh! é muito terrível, muito pavoroso! E uma náusea, um frio glacial próximo do mais louco desespero me invade".[8] Sua filha encontra as palavras certas para a consolar ou, pelo menos, dar-lhe coragem: "Quem melhor do que vós, minha amada mamãe, conhece os sentimentos e as opiniões de papai sobre todos os assuntos? Quem melhor do que vós poderia realizá-los?".[9] Mas Vitória revoltava-se mesmo contra seu dever: "Devo trabalhar incessantemente e a massa de trabalho que me cai em cima é mais do que posso suportar. Eu, que sempre detestei as questões públicas, não tenho senão isso. Público ou privado, tudo cai em cima de mim".[10] É verdade que ela não gostava da política, ao contrário de sua filha, que se apaixonava por todas as questões da atualidade e que escreveu a seu marido com certa nostalgia, por ocasião de uma estada junto da mãe: "Mamãe nunca fala de política e nem mesmo podemos fazer alusão a isso porque ela não gosta".[11]

Ela gostava ainda menos dos problemas políticos porque os compreendia mal. Daí seu pânico diante de todos aqueles papéis que precisava estudar. Não havia mais Lord Melbourne, nem Albert para explicar-lhos, e seus ministros precisaram de seis anos para compreender a necessidade de dar-lhe um secretário privado capaz de a ajudar. O general Grey, com autoridade, depois Henry Ponsonby, com mais deferência, a secundaram depois de 1866. Mas, no início, ela sofreu sozinha uma pressão ainda mais forte na medida em que o gabinete adquirira o hábito de contar com o trabalho considerável feito por Albert e ela própria não imaginava a possibilidade de subtrair-se a seus encargos e transformar-se em rainha ociosa. No entanto, decidiu recusar-se sistematicamente a cumprir seus deveres públicos, que julgava secundários, para poupar-se. Teria sido perfeitamente capaz de os desempenhar, mas imaginou que, se retomasse todas as suas atividades, não haveria mais limites às exigências. Portanto, para surpresa do público, não retomou suas funções oficiais. Muito simplesmente, não se mostrava mais. Ela demonstrou uma firmeza inabalável quanto a isso, sustentada talvez pelo sentimento de sua missão e, indiscutivelmente, pelo da perfeição de seu infortúnio.

Sua missão, ela a definiu claramente, com sua veemência habitual: "Faço questão de repetir uma coisa que é minha firme resolução, minha irrevogável decisão: seus desejos, seus projetos a respeito de tudo, sua visão sobre todas as coisas serão minha lei. E nenhum poder humano me desviará do que ele decidiria ou do que teria desejado".[12] Muito rapidamente, contudo, ela deu-se conta de que o vivo agarrava o morto e de que não podia resolver os problemas do presente, e ainda menos preparar o futuro, fixando-se no passado. O espírito de Albert podia guiá-la, mas os detalhes, isto é, as decisões, cabiam a ela.

O casamento de Alice com o príncipe herdeiro de Hesse fora arranjado ainda durante a vida de Albert. Restava celebrá-lo. Albert mostrara-se favorável à princesa Alexandra da Dinamarca para seu filho primogênito. Restava tomar a decisão definitiva e acertar todos os problemas políticos levantados por uma aliança tão hostil à Prússia. O futuro dos outros filhos não havia sido acertado. Albert sempre acreditara em uma Prússia liberal e generosa. O que teria pensado de Bismarck? Que partido teria tomado na questão tão espinhosa dos ducados de Schleswig-Holstein e na guerra prusso-dinamarquesa? A vida não continuava, precipitava-se sobre Vitória, que, querendo ou não, teve de recomeçar a navegar.

Mas ela navegava de crepe a tiracolo. Sua casa mergulhou no luto mais estrito. Nada de festas, nada de música. Um culto rigoroso dos aniversários. O dia da morte de Albert tornou-se sagrado, assim como o de seu nascimento, de seu noivado, de seu casamento. Ela ia tristemente de Windsor a Osborne, de Osborne a Balmoral. Em cada uma de suas moradas, o quarto de Albert era conservado intacto: a cama feita, os trajes do dia prontos para serem vestidos, as escovas e as navalhas dispostas como de hábito. Trinta anos depois, Gladstone queixava-se de que um criado, trazendo a água quente para o fantasma de Albert, interrompesse regularmente as conversações do fim do dia com a rainha. Ninguém de seu círculo tinha a audácia de sugerir-lhe pôr um fim nessa comédia fúnebre. Por certo, esses costumes não eram inusitados na Inglaterra do século XIX, em que as mulheres tinham tendência a mumificar os queridos desaparecidos. Quando a princesa herdeira, que não obstante se pretendia eminentemente racional, perdeu um filho de pouca idade, não apenas não tocou no quarto do bebê como ainda colocou no berço uma boneca de tamanho natural. Os visitantes vinham inclinar-se em silêncio. Vitória exigia mais que um minuto de silêncio, e dispunha de tal poder que esse culto transformou-se em envoltório. Impossível subtrair-se a ele.

Ela tomou horror por Londres e não passava ali mais do que três dias por ano: o trabalho do governo tinha seu ritmo diminuído, mas a rainha não se importava com isso. Recusou-se energicamente a abrir a sessão do Parlamento antes de 1866 e não o fez mais do que sete vezes durante seu longo reinado, geralmente quando precisava pedir dinheiro aos deputados para seus filhos. Cada visita de soberano estrangeiro a Londres levantava um problema. Ela o receberia ou não? No plano familiar, cada acontecimento, que se teria podido ter a inconsciência de qualificar de feliz, provocava novas queixas. O nascimento de seus netos, "fato muito desinteressante", deixa-a fria. Nessas condições, é de pôr a seu crédito que seus filhos tenham conservado sua afeição por ela.

Ela resignou-se a fazer celebrar o casamento de sua segunda filha, Alice, em 2 de julho de 1862, mas durante todo o período dos preparativos, nunca o qualificou mais que de "malfadado" ou de "desafortunado", muito simplesmente "porque é terrível estar aqui sem vosso papai bem-amado, e ser obrigada a lutar e combater quando se é fraca e doente".[13] No próprio dia das bodas, lamentou-se ainda mais vivamente: "O casamento da pobre Alice (mais próximo de um enterro que de um casamento) terminou e ela tornou-se uma mulher! Desejo que Deus a abençoe, e, contudo, um punhal trespassou-me o coração — meu pobre coração ferido e desolado — quando a ouvi dizer, esta manhã, que estava 'orgulhosa e feliz' de ser a mulher de Louis! Sinto o que possuía, o que esperava conservar ainda pelo menos vinte anos, e que só poderei reencontrar no outro mundo. Tudo o que se passou depois de 14 de dezembro parece apagado — esquecido".[14]

Mal terminadas as cerimônias, ela teve de cuidar do casamento do príncipe de Gales. Esse rapaz frívolo, de espírito tosco e que carecia totalmente de aplicação, não lembrava muito seu estudioso pai. Estroinices de estudante haviam alarmado tanto seus pais, de virtude insuspeitável, que se havia decidido casá-lo o mais cedo possível. Mas, preocupação muito comovente, procuraram-lhe uma noiva que, antes de tudo, pudesse agradar-lhe. As considerações estéticas passaram à frente das vantagens políticas. A princesa herdeira fora encarregada, desde sua chegada à Alemanha, de fazer pesquisas. "Beleza, saúde, educação, firmeza, inteligência e bom caráter, eis de que precisamos; uma posição brilhante e uma grande fortuna, não fazemos questão disso",[15] declarara a rainha à filha. A princesa examina as candidatas: uma comporta-se mal, a outra tem mãos grandes e pés feios, a terceira é estúpida. Enfim, ela ouve gabar "a beleza, o encanto, a amabilidade, a maneira franca e natural e outras excelentes qualidades" da princesa Alexandra da Dinamarca. Desconfiada, sonda sua babá, que conhece a babá da pequena dinamarquesa, para certificar-se de sua boa saúde e envia uma foto da moça aos pais: "Acho-a muito bonita e inteiramente do gênero que agrada a Bertie, mas devo repetir que uma aliança com a Dinamarca seria malvista aqui".[16] Vitória e Albert (ainda vivo) são seduzidos pela beleza da jovem, mas recuam diante dos problemas políticos e suplicam à filha que encontre "outra coisa"! O assunto preenche quase todas as suas cartas durante os seis meses seguintes. Vicky, esgotada, confessa "estar no fim de seu latim". Finalmente, ela conhece a moça; organiza uma entrevista com seu irmão e previne os pais de que, se tergiversassem muito tempo, "a pérola" bem poderia ser levada pelos russos — de fato, o czar pedirá a caçula, Dagmar, para seu filho —, e, apesar do pouco empenho do principal interessado, pouco preocupado em casar-se tão cedo, a irmã transmite um pedido oficioso do príncipe Albert aos príncipes dinamarqueses em outubro de 1861. O caso está nesse pé quando Albert morre.

Longe de reaproximar-se do filho, Vitória parece então desenvolver um horror por ele. Apressa-se em despachá-lo em viagem. "O contato permanente com ele", escreve ela a Vicky, "é-me mais do que nunca intolerável, como podes imaginar. Embora suas intenções sejam boas, o tato, a cabeça, o coração são de uma fraqueza lamentável. Casamento, eis do que ele precisa, e teu papai bem-amado fazia muita questão disso."[17] Entretanto, em sua infelicidade, Vitória não perde a cabeça: "Creio que é muito necessário [...] que eu veja a pequena antes que B. a reveja, a fim de que possa julgar, antes que seja tarde demais, se ela pode convir-me".[18] A entrevista acontecerá na casa do tio Leopold, em Laeken, em setembro de 1862. A impressão é boa. Vitória anota em seu diário: "Alexandra é muito bonita, um perfil tão belo e tão fino; é muito elegante e tranqüila de maneiras [...]. Toda a sua aparência é do maior encanto, misturado a uma simplicidade e a uma perfeita dignidade. Estendi-lhe um raminho de urze branca que Bertie me dera em Balmoral e lhe disse que esperava que ele lhe trouxesse felicidade".[19] O noivado pôde enfim tornar-se oficial e a rainha descreve seus sentimentos à sua filha mais velha: "Não exageraste as qualidades da querida Alix ou Alexandra. Não, é um ser fascinante, cheio de encanto

ASCENDÊNCIA PATERNA

*George III*
(1738-1820)

George IV, dito o príncipe regente até 1820 (1762-1830)
=
Caroline de Brunswick
|
Charlotte (1796-1817)
=
Leopold de Saxe-Coburg, depois rei dos belgas

Frederic, duque de York (1763-1827)
=
Frederica da Prússia

Guilherme IV (1765-1837)
=
Adelaide de Saxe-Meiningen
|
Charlotte (1819-1820)
Elisabeth (1820-1821)

Eduardo, duque de Kent (1767-1820)
=
Vitória, princesa de Leiningen
|
VITÓRIA (1819-1901), rainha da Inglaterra

Augusta (1768-1840)

Elisabeth (1770-1840)

Ernes[...] duque [...] Cumberl[...] rei d[...] Hanno[...] (1771-1[...]
=
Frederica princesa d[...] Mecklembu[...] Strelitz
|
George, rei de Hann[...] (1819-187[...]

*Charlotte Sophie*
*de Mecklemburg-Strelitz*
(1744-1818)

| Augustus, duque de Sussex (1773-1843) | Adolphus, duque de Cambridge (1774-1850) | Mary (1776-1857) | Octavius (1779-1783) | Sophia (1777-1848) | Alfred (1780-1782) | Amelia (1783-1810) |
|---|---|---|---|---|---|---|

Adolphus, duque de Cambridge = Augusta de Hesse-Cassel

| George, duque de Cambridge (1819-1904) | Augusta (1822-1916) | Mary Adelaide (1833-1897) |
|---|---|---|

## ASCENDÊNCIA MATERNA

*Francisco Ferdinando,*
*duque de Saxe-Coburg*
(1750-1806)

Sophie
(1778-1835)
=
Emmanuel
Mensdorff-Pouilly

Ernest I,
duque de Saxe-Coburg
(1784-1844)
=
Louise de
Saxe-Gotha-Altenburg
(*divórcio em 1826*)

Vitória
(1786-1861)

*1º casamento,*
príncipe Leiningen

*2º casamento,*
duque de Kent,
filho de George I
rei da Inglaterra

Alexandre
Mensdorff-Pouilly
(1813-1871)

Ernest II,
duque de Saxe-Coburg
(1818-1893)

ALBERT,
príncipe consorte
(1819-1861)

Charles
Leiningen
(1804-1856)

Feodora
(1807-1872)

VITÓRIA
rainha da
Inglaterra
(1819-190

*Augusta*
*de Reuss-Ebersdorff*
(1757-1831)

Ferdinando
(1785-1851)

=

Antoinette de Kohary

- Ferdinando (1816-1885) = Maria II, rainha de Portugal
- Augustus (1818-1881) = Clementine d'Orléans, filha de Luís Filipe
- Vitória (1822-1857) = duque de Nemours, filho de Luís Filipe
- Leopold (1824-1884)

Leopold I,
rei dos belgas
(1790-1865)

*1º casamento*, Charlotte, filha de George IV, rei da Inglaterra

*2º casamento*, Louise d'Orléans, filha de Luís Filipe

- Leopold II, rei dos belgas (1835-1909) = Marie-Henriette da Áustria
- Charlotte (1840-1927) = Maximiliano, imperador do México (1832-1867)

- Helena Lenchen (1844-1923) = Christina de Schleswig-Holstein (1831-1917)
  - 4 filhos
- Louise (1848-1939) = Lord Lorne, depois duque de Argyll (1845-1914)
- Arthur, duque de Connaught (1850-1942) = Louise da Prússia (1860-1917)
  - SUÉCIA
  - Margaret (1882-1920) = Gustavo Adolfo VI, rei da Suécia (1882-1973)
    - DINAMARCA
    - Gustavo Adolfo (1906-1947) = Sibylle (1908-1971)
      - 4 outros
      - Carl Gustav (1940- )
    - 3 outros
    - Ingrid (1910- ) = Frederico IX, rei da Dinamarca (1899-1972)
      - Margarethe (1940- ) = Henri de Montpezat
      - 1 outro
      - Ana Maria (1946- ) = Constantino II da Grécia (1940- )
        - 3 filhos
  - 2 outros
- Leopold, duque de Albany (1853-1884) = Helena de Waldeck-Pyrmont (1861-1922)
  - 2 filhos
- Beatriz (1857-1944) = Henrique de Battenberg (1858-1896)
  - ESPANHA
  - Vitória Eugênia (Ena) (1887-1969) = Alfonso XIII, rei da Espanha (1886-1941)
    - 5 outros
    - Juan (1913-1993) = Marie de Bourbon-Busset (1915- )
      - Juan Carlos (1938- ) = Sofia da Grécia (1938- )
        - 3 filhos
  - 3 outros

IUGOSLÁVIA

- Maria (1900-1961) = Alexandre, rei da Iugoslávia (1889-1934)
  - Pedro II (1923-1970) = Alexandra da Grécia (1921- )
    - Alexandre (1945- )
  - 2 outros
- 3 outros

A mãe de Vitória, a duquesa de Kent.
Pintura de Sir George Hayter. © *Her Majesty Queen Elizabeth II.*

*Na primeira página do caderno:* Tal como ela sonhava ser...
Vitória dera instruções precisas a Winterhalter
para esse retrato (1843) destinado aos aposentos privados
de Albert. © *Her Majesty Queen Elizabeth II.*

O duque de Kent.
Pintura de George Dawe. © *Her Majesty Queen Elizabeth II.*

Em 20 de junho de 1837, às seis horas da manhã, o arcebispo de Canterbury e Lord Chamberlain anunciam a Vitória o começo de seu reinado. *Mansell Collection /Time Inc.*

*Abaixo:* Suzanne e os velhos, ou a pequena rainha entre Lord Melbourne e Lord John Russell em 1837. *Snark/Edimédia.*

O mais belo dia de sua vida, seu casamento, em 10 de fevereiro de 1840. À esquerda da rainha, Lord Melbourne, empunhando a espada; seu tio, o duque de Sussex, com um solidéu negro, e sua mãe toda emplumada. À direita de Albert, a rainha viúva, seu pai e seu irmão. Pintura de Sir George Hayter. *© Her Majesty Queen Elizabeth II.*

*No destaque:* O tio bem-amado, severo e seguro, Leopold I, rei dos belgas, em 1855. The Royal Archives. © *Her Majesty Queen Elizabeth II.*

"A única coisa que temo é ter filhos." Quem o diria, ao ver Vitória e Albert em família depois de seis anos de casamento? Pintura de Winterhalter, 1846.
© *Her Majesty Queen Elizabeth II.*

*Ao lado:* O retrato preferido de Vitória: o belo Albert de armadura. Pintura de Robert Thornburn.
© *Her Majesty Queen Elizabeth II.*

A visita de Napoleão III e de Eugênia.
Crystal Palace, 1855. *The Royal Archives.*

Primeiras fotografias, o ideal dá lugar ao real.
Vitória e Albert em 1854. *The Royal Archives.*

O "paraíso" de Osborne em 1867,
construído segundo o projeto de Albert.
*The Royal Archives. © Her Majesty Queen Elizabeth II.*

Vitória aos 36 anos, já mãe de oito filhos.

O príncipe de Gales foi educado só e severamente. Da esquerda para a direita: Ch. Phipps, secretário, F. W. Gibbs, preceptor, o príncipe de Gales, Albert, o barão Stockmar, dr. Becker, bibliotecário, e Ernest Stockmar. *Royal Library. Windsor Castle. Copyright reserved.*

Passeio em Balmoral, no dia do noivado da princesa herdeira, em 29 de setembro de 1855.
Da esquerda para a direita: Alfred, Fritz, o noivo, Alice, Bertie, Vitória, Albert e Vicky. *The Royal Archives.*

Muito pequena de braço com seu esposo, a princesa herdeira deixa Windsor por Berlim, no dia seguinte às suas bodas, em janeiro de 1858. *The Royal Archives.* *© Her Majesty Queen Elizabeth II.*

Com sua última filha, Beatriz — que viverá até 1944 —, Vitória em 1860, época em que se tornou francamente feia. Freqüentemente exasperada pela fidelidade da fotografia, aconteceu-lhe borrar seu rosto nas provas para o fazer desaparecer. *The Royal Archives. © Her Majesty Queen Elizabeth II.*

Vitória e Albert em Osborne em 1859.
Seu primeiro neto, que será Guilherme II,
acaba de nascer. *The Royal Archives.*
© *Her Majesty Queen Elizabeth II.*

Vitória e sua filha primogênita, em 25 de junho de 1857.
*The Royal Archives. © Her Majesty Queen Elizabeth II.*

Vitória não abandonará mais o luto depois de 1861. Retratos e bustos de Albert ornamentarão todas as suas moradas. Aqui, em Balmoral, em 1863, entre suas filhas, Alice (à direita) e Helena. © *Hulton Getty.*

*Ao lado:* O mausoléu de Frogmore construído para abrigar os restos de Albert. *The Royal Archives. © Her Majesty Queen Elizabeth II.*

A rainha cercada por seus nove filhos e sua nora, Alexandra, de braço com o príncipe de Gales. *Cliché Bibliothèque Nationale de France.*

*Página seguinte:* Sempre triste, Vitória em um sólido cavalinho. À esquerda, seu favorito, o escocês John Brown. © *Hulton Getty.*

Para grande desespero de seu círculo,
que lhe temia o tédio, a distância e o clima,
Vitória passava vários meses por ano
em Balmoral, na Escócia. *The Royal Archives.*
© *Her Majesty Queen Elizabeth II.*

Benjamin Disraeli. Ela quis testemunhar-lhe sua afeição visitando-o em seu leito de morte. Ele recusou. "Ela me confiaria uma mensagem para Albert", teria dito ele. Collection Viollet.

William Gladstone. Ele retirou-se da vida política aos 84 anos, para grande alívio da rainha, que o tratava como um fanático perigoso. *Collection Sirot-Angel.*

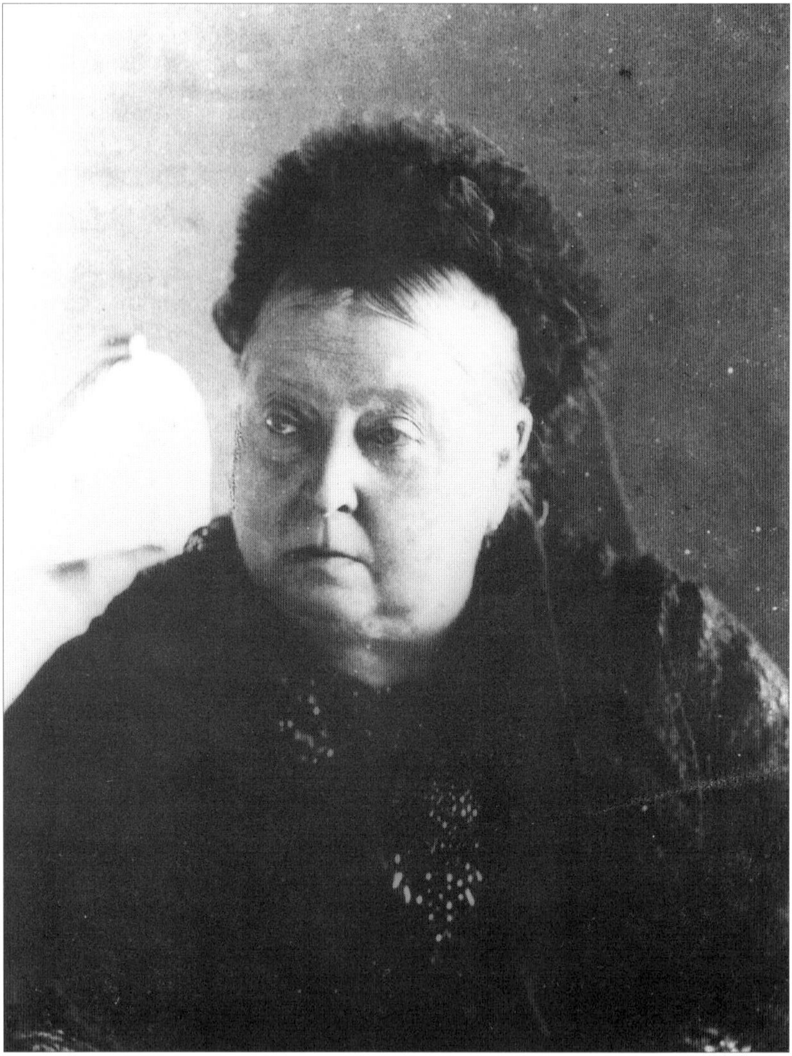

A viúva de Windsor, uma gorda dama de negro, falsamente simples. *Collection Sirot-Angel.*

*Página seguinte:* A rainha Vitória em 1885. *Collection Sirot-Angel.*

Reunião de família por ocasião do cinqüentenário.
Diante da rainha, sua nora, a duquesa de Albany,
e sua filha Alice (última sobrevivente das netas da rainha).
À sua esquerda, suas filhas, Vicky e Helena.

Em pé, de uniforme branco, seu genro, Fritz. Em pé, no centro, o príncipe de Gales. De perfil, em pé, a princesa de Gales. No vão da janela, dois jovens que se tornarão Guilherme II e George V. © *Her Majesty Queen Elizabeth II.*

Em 1886, o tempo de exposição mais curto permite ao fotógrafo captar o sorriso de Vitória. Aqui, com sua filha Beatriz (em pé), sua neta Vitória de Hesse e sua bisneta, que será a mãe de Philip, duque de Edimburgo. *The Royal Archives.* *© Her Majesty Queen Elizabeth II.*

Quatro gerações de soberanos britânicos em 1894: Vitória, Eduardo VII, George V e Eduardo VIII (depois duque de Windsor). The Royal Archives. © *Her Majesty Queen Elizabeth II.*

Vitória e sua filha Beatriz no Castelo de Windsor (1895), entre um prodigioso amontoado de bibelôs e de lembranças. À sua morte, sua coleção particular de fotografias contava 100 mil itens. *Royal Library. Windsor Castle.*

Os netos trágicos: o czar Nicolau II, a czarina Alexandra e sua filha visitam Vitória e o príncipe de Gales em Balmoral, em 1896. *Cliché Bibliothèque Nationale de France.*

Ele a chamava de Gangan e esforçava-se para tirá-la de sua poltrona. Futuro duque de Windsor. Julho de 1897. *Photo B. N.*

A corte da Inglaterra visita o Sul da França. *Breakfast* entre Beatriz e Vitória de Schleswig-Holstein. *The Royal Archives. © Her Majesty Queen Elizabeth II.*

"Preciso sempre de uma filha ou de uma neta comigo." Aqui, Vitória de Gales (em pé) e Vitória de Schleswig-Holstein. O cão era igualmente indispensável. Agonizante, Vitória exigiu a presença de Turi, seu pequeno lulu-da-pomerânia. *The Royal Archives. © Her Majesty Queen Elizabeth II.*

A rainha em Cimiez conduzindo seu carro de burro, em 1898. *Cliché Bibliothèque Nationale de France.*

Sorridente e descontraída, Vitória
recebe as aclamações em 1897.
*Mansell Collection/Time Inc.*

A rainha trabalhando nos jardins
de Windsor com Munshi,
seu indiano favorito. *Photo B. N.*

*Página seguinte:* O retrato oficial
do jubileu de diamante: o mais
longo reinado da história da Inglaterra.
*Cliché Bibliothèque Nationale de France.*

e cuja imagem brilhante parece flutuar — misturada à do teu papai adorado — diante dos meus pobres olhos obscurecidos de lágrimas. Querida filha! Precisamente a perspectiva da vida conjugal de nosso pobre Bertie, com seus germes de felicidade, pelos quais agradeço a Deus, aperta-me o coração, meu pobre coração petrificado de pesares! Ai, eu não sou velha — e meus sentimentos são fortes e calorosos; meu amor é ardente".[20]

A rainha convida a moça para passar quinze dias com ela, na Inglaterra, na ausência do príncipe de Gales, pois, diz ela, "quero que ela aprenda a conhecer-nos sem B. e não através de seus óculos".[21] A seriedade, a atenção com que a pequena princesa escuta Vitória evocar seu passado, e principalmente Albert, comovem-na. "Sua presença me acalma", escreve ela. Mas, apesar de sua satisfação, não reina a alegria e ela até se irrita com o prazer que sua filha antevê à perspectiva de ir à Inglaterra para a cerimônia:

> Temo horrivelmente todo o acontecimento e me pergunto mesmo como podes alegrar-te tanto à idéia de assistir ao que eu teria acreditado ser para ti, que teu papai amava tão ternamente, um casamento tão terrivelmente triste! Querida filha, teu êxtase diante de tudo isto me parece muito incompreensível! Pensa no que será ver Windsor cheio de gente e teus dois pais ausentes.[22] Um casamento de Estado sem eles. Um dia que esperamos com tanta alegria durante longos anos e que agora é para mim pior do que um enterro! Serás capaz de alegrar-te quando a cada passo nosso anjo da guarda abençoado, esse ser calmo e excepcional que nos guiava a todos, nos faltará? E esse pobre B.?[23]

A crueldade dessa carta é muito característica do que será Vitória durante os anos por vir. Com certa falta de lógica, ela recusa que seus filhos comparem sua infelicidade à dela, mas recusa igualmente que a força da vida os leve e pareçam sentir alguma felicidade em viver. "Não perdeste tudo", escreve ela a Vicky, "tua vida não foi destruída completamente, totalmente esmagada para sempre em sua afeição mais sagrada, mais pura, maior." Ou ainda: "Tua perda é muito, muito grande, nada poderá repará-la jamais ou compensá-la, mas tens um marido que podes respeitar e para o qual podes voltar-te, que é tão bom, tão generoso; podes aconchegar-te em seu peito quando tudo parece negro e eu, que tenho muito mais necessidade disso do que tu — não tenho nada".[24]

Mas, ao mesmo tempo, ela lhe censura o que chama "sua elasticidade", isto é, a capacidade natural de uma mulher de 21 anos se refazer. Suas críticas se tornarão mais acerbas durante o outono de 1862. A princesa herdeira e seu marido haviam partido para um cruzeiro rumo ao sul e as cartas da jovem mulher refletiam sua alegria de descobrir a Itália e a África do Norte. Mas a rainha não pode admitir que alguém possa esquecer-se por um minuto de sua dor: "Teu amor pelo mar, pelo iate, apesar do enjôo, não posso compreendê-los [...]. Desde a nossa terrível desgraça, não suporto estar no mar um único instante! É preciso estar de bom humor para gostar disso. Mas, minha querida filha, isso não é o que te falta: sobram-te as mais extraordinárias reservas. Creio que nenhum infortúnio te esmagaria ou destruiria tua força! Para os que devem continuar a viver, é uma grande bênção! Quanto a mim, meu desespero me é precisamente necessário e eu não poderia viver sem ele".[25] O aniversário da morte de Albert provoca uma crise desagradável. A princesa é obrigada pelos arranjos oficiais a passar o dia 14 de dezembro no trem, indo de Trieste a Viena: "Como me é penoso", confessa ela, "viajar hoje e amanhã, vós o imaginais bem, mas eu ficaria mais tranqüila sozinha com Fritz no compartimento de estrada de ferro do que se devesse estar em um lugar desconhecido".[26] Ela recebe uma resposta áspera:

> Não recebi tua carta datada do dia 14, aniversário sagrado e dilacerante; apenas ouvi dizer que havias passado o dia no trem e que à noite foste recebida em Viena pelo imperador!!! Ainda hoje, não consigo crer nisso. Teria acreditado que terias preferido permanecer no mais modesto e mais retirado albergue, pedindo a Deus que amparasse tua pobre mãe de coração dilacerado, a agir como fizeste. Não direi nada no momento sobre a impressão que causaste em mim e em todos reunidos aqui [...] e não direi nada da maneira solene, comovente e edificante como passamos o dia, nem da profunda angústia de meu coração partido.[27]

Carta penosa, e tanto mais injusta porque o respeito da princesa pela memória de seu pai era indiscutível. Ela não se rebelou, porém, e respondeu simplesmente que não havia podido passar o dia como teria desejado, em uma calma perfeita: "Eu teria acreditado", acrescentou ela, "que isso antes despertaria vossa piedade que vossa cólera, querida mamãe [...]. Fritz vos explicará o que aconteceu". A tempestade passou, pois a rainha exprimia tão violentamente seus sentimentos que ignorava o rancor, mas ameaçava sempre: cada carta nuançada de alegria recebe uma resposta maçante: "Como podes ser tão alegre, tão feliz quanto antes? [...] Minha boa, querida filha, tens uma maravilhosa disposição, sempre pronta a afastar as tristezas da existência".[28]

Nunca se chorava o bastante e, ao mesmo tempo, nunca se devia tentar superar a rainha em infortúnio. Sempre foi extremamente difícil para a rainha admitir que uma desgraça pudesse ser comparada à sua. Quando sua filha perdeu um filho, consolou-a escrevendo-lhe: "Pensa no que é a perda de um filho em comparação à de um marido".[29] Ela só admitiu a infelicidade alheia uma única vez, muito tarde, em 15 de junho de 1888, quando da morte de seu genro, o imperador Frederico. O drama de sua filha, isolada em uma corte inamistosa, sujeita à hostilidade aberta de seu filho, Guilherme II, perturbou-a: "Minha pobre filhinha querida [...], foste provada mais duramente do que eu. Não tive de sofrer o horror de ver um outro tomar o lugar de meu angélico esposo, o que nunca teria podido suportar".[30]

Foi preciso, portanto, esperar seus setenta anos para que se rompesse sua carapaça de egoísmo e ela chegasse a identificar-se à dor de uma outra pessoa. A partir desse momento, ela foi um apoio enérgico, inteligente e hábil para sua filha, e foi a única a fazer-se escutar, no plano privado, por seu megalômano neto, Guilherme. Desde então, pareceu reconciliar-se com a vida. Deixou seus últimos netos alegrar seu retiro; recomeçou a escutar a música que tanto amara na juventude e da qual se privara durante quase trinta anos! Suas aparições públicas pareceram custar-lhe menos e foram sempre saudadas por grande entusiasmo do público. Sua popularidade reconstituiu-se mais forte do que nunca.

É certo que esse luto exagerado e o culto excessivo que prestou a seu marido prejudicaram na verdade a lembrança de Albert. Esse homem notável foi literalmente afogado sob os louvores e as lágrimas de sua viúva. Além disso, a vontade irredutível de impor a noção de um Albert insubstituível teve conseqüências penosas para o príncipe de Gales. A rainha obstinou-se em mantê-lo abaixo de sua posição, e mesmo de suas possibilidades, pois conceder-lhe a menor parcela de representatividade o teria aproximado do lugar que seu pai ocupara. A isso, ela se recusava absolutamente. Seus argumentos, baseados na frivolidade e na indiscrição do príncipe, eram de má-fé. Gladstone e Disraeli o apreciavam, ambos, e teriam desejado dar-lhe uma ocupação séria, mas chocaram-se contra uma recusa absoluta da rainha. Sua obstinação, que já provocara medo em Melbourne e em Albert, não abrandara com os anos.

Seu poderoso egoísmo, outro aspecto irritante de sua personalidade, exacerbou-se em seu infortúnio. Se, no começo de seu luto, a menor mudança em seus hábitos parecia-lhe uma traição penosa da memória de Albert, muito depressa ela tirou proveito da situação. De agora em diante, decidiu ela, não modificaria a mecânica precisa de sua existência por ninguém. Ministros, soberanos estrangeiros e família tiveram de curvar-se a isso. Se um de seus familiares queria casar-se, era um drama. A mais próxima e mais devotada de suas damas, Lady Augusta Bruce, cometeu esse crime. A rainha pensou jamais se recobrar: "Minha querida Lady Augusta, aos 41 anos, sem ter tido uma longa afeição prévia, decidiu, sem a menor necessidade, casar-se!!! Isso foi meu maior desgosto e minha maior prova desde a minha desgraça".[31] Seu médico foi, também, bastante audacioso ao casar-se. Ela ficou tão furiosa que não lhe dirigiu mais a palavra. "Prometo a Vossa Majestade não repetir", escreveu-lhe ele para fazer-se perdoar. Ela riu e reconciliou-se com ele.

O futuro de suas filhas lhe foi inteiramente subordinado. A respeito de sua terceira filha, Lenchen, ela escreveu ao tio Leopold: "Preciso absolutamente ter uma filha casada em casa. Não posso estar constantemente em busca de uma ajudante [...]. Conto (e esse é também o desejo de Lenchen) procurar em um ou dois anos (pois não quero casá-la antes dos dezenove ou vinte anos) um jovem príncipe sensato que ela possa desposar e que, enquanto eu viver, faça de minha casa sua morada principal. Lenchen é tão útil e está tão habituada a viver na casa que (salvo se Alice vivesse constantemente aqui, o que se recusa a fazer) não posso deixá-la partir sem afundar sob o peso da desolação".[32] Ela acabou por desencavar-lhe um príncipe Schleswig-Holstein, irmão caçula de um dos pretendentes aos ducados. O candidato desagradava, por razões políticas evidentes, ao príncipe e à princesa de Gales, que consideravam os ducados como propriedade dinamarquesa; à princesa herdeira, para quem os territórios eram prussianos; a Alice e a Alfred, por razões menos nobres: não admitiam instalar um príncipe sem dinheiro na família. Além disso, na própria opinião de Vitória, o noivo não era muito sedutor: “Ele tem um ar velho nas maneiras e nos gestos[33] [...]. Mais velho mesmo que teu querido papai aos 42 anos”.[34] Que importava? Esse casamento convinha à rainha e ela varreu todas as objeções com firmeza: “Se algum dia eu imaginasse que nossos próprios filhos se uniriam em um bando contra mim, não posso dizer-te o que sentiria! Tendes o direito de ter vossas opiniões — como toda pessoa razoável e independente —, mas quando vossa mãe e soberana decide uma coisa para seu próprio bem, decisão que não usurpa em nada vossos direitos ou vossos prazeres, uma oposição baseada em motivos egoístas e pessoais e materiais — de fato, de pura inveja — é monstruosa. Não posso dizer-te quanto sofri por isso”.[35] Se a rainha casou rapidamente suas quatro filhas mais velhas, é porque pretendia realmente conservar a caçula, Beatriz. Ao longo dos anos, esta desonerou definitivamente suas irmãs mais velhas, mas à custa de sua própria liberdade. Dama de companhia permanente de sua mãe, ela não tinha o direito de sair, senão para ir à casa de seus irmãos. Nenhum outro convite podia ser aceito, mesmo o de um primeiro-ministro. À mesa real, a palavra casamento bastava para franzir as sobrancelhas, a tal ponto Vitória temia perturbar ou dar alguma idéia à jovem. Sempre dócil, calma, submissa, ela parecia resignada à sua sorte quando, aos trinta anos, no casamento de uma de suas sobrinhas, conheceu Henry de Battenberg e descobriu, enfim, o Amor. Ela levou a presunção a ponto de querer desposar seu príncipe. Houve um escândalo terrível, uma briga que durou vários meses. Mãe e filha não se dirigiam mais a palavra e comunicavam-se por pequenos bilhetes. Finalmente, Vitória teve de ceder, mas exigiu e conseguiu que o jovem casal se instalasse ao seu lado e não a abandonasse de modo algum. Não o lamentou. Battenberg encantou-a com sua alegria, seu bom humor, sua juventude. Ela apreciava também, como velha conhecedora, sua aparência viril de belo oficial. Ele fez muito para distender a atmosfera do palácio. Sua morte prematura — suportando mal a ociosidade, ele pedira para partir em uma expedição a Ashanti, onde morreu de uma febre maligna — acabrunhou a rainha, que chorava “seu raio de sol”.

O surpreendente é que essa rigidez da rainha, essa intensa concentração em si mesma não alteraram em nada seu senso da realidade. Ela reagia vivamente, e como profissional, a toda crise política. A segurança com que escolhia entre uma vantagem puramente familiar e o interesse do país era notável. Recusou notadamente, desde novembro de 1862, o trono da Grécia para seu filho Alfred. Por respeito à convenção das grandes potências, mas também porque achava absurdo, para ele, abandonar sua herança alemã — devia suceder a seu tio no ducado de Coburg — por uma aventura arriscada e quase oriental. Alguns anos mais tarde, ela recusará também a Espanha com grande clarividência:

> Diferentes partidos podem unir-se na Espanha para derrubar o trono da rainha Isabel, mas nosso conhecimento dos políticos espanhóis pode garantir que, uma vez atingido seu objetivo, eles continuarão a entender-se e a agir de comum acordo para o estabelecimento de um novo governo? Além disso, os espanhóis são proverbialmente contrários aos estrangeiros; assim, um príncipe inglês que, nas atuais circunstâncias, aceitasse a coroa provavelmente seria apoiado por uma parte da nação, enquanto uma outra se ergueria violentamente contra ele; ele seria então a causa de uma nova guerra civil e de calamidade nesse infeliz país. A rainha não precisa dizer quanto ficaria infeliz de ver um de seus filhos em semelhante situação.[36]

Ela não se deixou levar a complicações políticas com a Prússia apesar de sua possibilidade de ação direta sobre o príncipe herdeiro. No momento de uma grave crise constitucional na Prússia, durante a qual pai e filho opuseram-se violentamente, ela começou por pregar a revolta a Fritz e a Vicky. Mas uma carta do tio Leopold a fez refletir: "Creio que tendes o direito", escreveu-lhe ele, "de vos interpor de uma maneira amigável [...]; Vicky vos escreve que, nascida filha da livre Inglaterra, não pode admitir submeter-se a certas coisas [...], mas a Princesa Herdeira, em terra estrangeira, não pode mudar o que ali é a lei. É preciso conseguir arranjar as coisas amigavelmente. Em vossa posição, não vos podeis permitir encorajar a revolta dos filhos. Eles têm já bastante tendência a desobedecer".[37]

Vitória compreendeu o conselho e o seguiu. Leopold conservava sua ascendência sobre ela. Usou-a uma última vez em 1864 para espicaçá-la, a tal ponto inquietava-se com as especulações sobre sua abdicação, causadas por sua reclusão. "Os ingleses são muito pessoais", lembrava-lhe ele, "precisam ver as pessoas para continuar a amá-las"; e, apostando na sua suscetibilidade, prosseguia: "Bertie e Alexandra estão constantemente em representação [...] e preenchem inteiramente o espírito do público".[38] Ela cedeu e saiu para inaugurar uma exposição de horticultura: " 'Grande sucesso', anunciou orgulhosamente a Leopold. 'Os Gales foram derrotados.' Naturalmente, ninguém pára nem corre para eles, como sempre fizeram para mim e como se faz duas vezes mais agora".[39]

A prima-dona não estava morta, nem mesmo moribunda. Vitória permanecerá toda a sua vida muito ciosa de suas prerrogativas reais e familiares. O primeiro lugar, o seu, ela jamais pensou em cedê-lo. Apesar de sua fadiga e de seu desgosto das questões públicas, a abdicação nunca foi mais que uma arma para ameaçar um ministro recalcitrante.

Ela percebia bem que ocupara o primeiro lugar afetivo apenas no coração de sua mãe e no de Albert. Ora, perdera ambos. Sabia que seus filhos se casariam e teriam filhos por sua vez e que, inevitavelmente, ela desceria um grau em sua afeição. Sentia-se "demais". "Não sou mais", dizia ela a Vicky, "que a Número 3 ou 4 no verdadeiro e terno amor dos outros." Não se revoltava contra essa evolução natural, mas organizou para si uma vida feita para ela, ferozmente para ela, e sem a menor concessão.

# 6

# *VIÚVA, SERVIDORES E ÓRFÃOS*

*Uma Casa egoísta — Favor de John Brown —* Honni soit qui mal y pense *— Um hindu na corte — Meu bel-prazer*

Quando Vitória começava a se recuperar, sob a influência do tio Leopold, este morreu, deixando-a definitivamente sem apoio familiar. Era cada vez mais restrito o grupo dos que tinham o direito, segundo sua expressão, de chamá-la por seu primeiro nome: uma velha tia, sua irmã, alguns primos. Mas sua posição e a pouca familiaridade que tolerara durante sua vida conjugal haviam dilatado fortemente a distância entre eles. De resto, nenhum brilhava pela inteligência. "Agora sois a cabeça de toda a família", escreveu-lhe sua filha Alice, depois do desaparecimento do rei dos belgas. Verdade que nunca foi colocada em discussão por Vitória. Já autoritária e egoísta por natureza, ela vai aproveitar totalmente os privilégios de seu cargo. De agora em diante, lhe parecerá normal e desejável que todos se curvem diante dela. As fotografias que a mostram cada vez mais imponente e temível não enganam. Existira algum dia a jovem que se deslumbrava na Ópera, valsava com ânimo, confiava a Melbourne uma irresistível vontade de rolar na grama? Inimaginável. Ela fazia muita questão agora de dar de si própria uma imagem austera. Quando o pintor de corte, Angeli, sugeriu-lhe, por ocasião de uma sessão, abrandar um pouco a severidade de sua expressão, ela recusou abertamente: a pose convinha a uma rainha.

A organização de sua casa evidenciará essa evolução. Tudo foi subordinado ao seu conforto e suas principais vítimas, ministros e filhos, terão de acomodar-se a isso. Quanto aos primeiros, o principal inconveniente virá de sua recusa obstinada de morar em Londres. Uma rainha constantemente afastada do centro das questões públicas complica singularmente o sistema. Quanto à tropa exasperante de seus filhos, nem suas necessidades nem suas suscetibilidades jamais serão levadas em consideração.

Em razão de sua reclusão, seu círculo imediato ganhará uma importância crescente, mais particularmente duas pessoas. Uma, Henry Ponsonby, seu secretário privado cujo tato e inteligência fizeram maravilhas, e a outra, seu factótum escocês, John Brown, que constantemente provocou os dramas mais desagradáveis e mais ridículos. Sir Henry a mantinha em contato com o real; John Brown a impelia para o secreto, a solidão e, involuntariamente, para a neurose.

Henry Ponsonby fora um dos escudeiros do príncipe consorte. Uma função puramente protocolar e mundana. Acompanhava o príncipe em suas saídas, trotando prudentemente atrás da parelha. Mantinha a conversação por encomenda com este ou aquele convidado. Levava as mensagens ou jogava cartas. Em suma, tornava-se útil e agradável. O difícil, nessas circunstâncias, era deixar despontar sua inteligência. Ora, Ponsonby soube tão bem fazer-se apreciar pelo príncipe que a rainha o reteve junto dela depois da morte de Albert, para secundar seu secretário, o general Grey. Alguns anos mais tarde, ele ocupava esse posto essencial. A uma só vez porta-voz da rainha e intermediário necessário entre os ministros e a coroa, ele conferiu uma amplitude considerável à sua tarefa.

Os Ponsonby, pois não se pode separar Sir Henry de sua mulher, Mary, formavam um casal muito atraente. Tinham espírito vivo, zombeteiro e crítico. Escreviam maravilhosamente e com freqüência. Suas cartas, assim como as lembranças de seu filho Fritz, que entrou na carreira no fim do século e serviu sucessivamente Vitória, Eduardo VII e George V, contêm observações saborosas sobre a vida na corte e sobre o caráter de Vitória. Os Ponsonby mantinham um equilíbrio raro entre a franqueza e a discrição.

Henry Ponsonby permaneceu trinta anos ao lado da rainha, durante os quais não abdicou de nenhuma de suas opiniões e fez muito para mantê-la nos limites de seu papel constitucional. Ele era liberal, o que significa dizer revolucionário aos olhos da velha-guarda conservadora: "Como a prima Vitória pode confiar seus assuntos a um vermelho?", resmungava o duque de Cambridge. O que teria dito se houvesse vivido bastante para ver um outro filho de Sir Henry militar entre os socialistas? Mary Ponsonby, favorável a uma evolução democrática da sociedade, aberta à causa das mulheres e dos trabalhadores, sabia defender seu ponto de vista diante da rainha, mas sua polidez, sua discrição, seu tato permitiam-lhe exprimir-se sem chocar esta última.

Ponsonby pudera, durante seus anos de aprendizado, avaliar as dificuldades que iam apresentar-se a ele. Vira seu predecessor desagradar aos ministros por não moderar bastante a rainha e incorrer na ira desta quando a levava a conduzir-se normalmente. Ponsonby, mais jovem que Grey e, portanto, menos influente, precisou jogar com cautela para arbitrar todos os embates políticos e pessoais em torno da rainha, e tentar aliviar a atmosfera a uma só vez sombria e carregada de eletricidade daqueles primeiros anos de viuvez.

A impaciência da rainha com sua progenitura era um elemento constante de tensão, tanto mais difícil de apaziguar porque provinha de sua própria natureza. Seus filhos já não eram propriamente crianças. Desde 1863, os três mais velhos estavam casados e os seguintes já eram jovens. Não se imaginaria isso ao ler as cartas de sua mãe. Tenham vinte, trinta ou quarenta anos, serão sempre bebês sujeitos à sua formidável autoridade. Toda a família estava mergulhada em uma atmosfera de infantilismo penoso. Como nenhum dos filhos, nem mesmo o príncipe de Gales, tinha responsabilidades, apenas podiam cometer faltas veniais. Sua mãe apenas os reprovava realmente por não se parecerem com o pai. E eles faziam tanto barulho! As questões de política internacional os dividiam. Se ela não pusesse boa ordem nisso, teriam brigado à mesa. Forçavam-na a arbitrar entre eles, o que ela detestava. Tudo isso não era muito grave. Em seus momentos de calma, ela reconhecia: todo aquele pequeno mundo conduzia-se bem. Nada de amantes oficiais. Nada de escândalos de jogo, salvo muito mais tarde quanto ao príncipe de Gales. Nada de comparável aos excessos e às loucuras dos tios de Vitória. Mas a rainha tornava-se um pouco neurótica e atribuía uma importância insensata a pequenos detalhes. As faltas de atenção tornavam-se crimes a seus olhos: o esquecimento de um aniversário assumia proporções desmedidas. Ora, era preciso uma caderneta bem organizada e mantida em dia para localizar-se entre os nascimentos, as mortes e outras datas memoráveis observadas religiosamente por Vitória. As datas de férias provocavam regularmente crises, pois ela sempre teve dificuldade em admitir que Vicky e Alice, casadas no estrangeiro, não pudessem vir exatamente quando o desejava. De resto, havia certa ambivalência em torno dessas visitas. Ela as desejava e ao mesmo tempo as temia. As filhas, os genros, ainda passava; alguns netos, em caso de necessidade absoluta. Mas toda a família, o bando das governantas, os séquitos, isso lhe parecia demais. Ora, as filhas não se mostravam muito conciliadoras e os prussianos pareciam particularmente pesados. Uma discussão acrimoniosa precedia cada visita, e os cancelamentos não eram excepcionais.

A conduta do príncipe de Gales, "esse desmiolado", a mantinha em um estado de exasperação constante. A princesa Alexandra, muito doce e benevolente para frear a impetuosidade de seu esposo, não bastante inteligente para criar uma atmosfera estimulante à sua volta, irrita-a, embora goste muito dela, "mas, enfim, não vale o preço que pagamos por ela", diz a rainha, aludindo às dificuldades políticas com a Prússia nascidas da aliança dinamarquesa. Além do mais, o crânio estreito que ela transmite aos filhos é sinal de estupidez. Bem inquietante para a sucessão. As observações mais ásperas fustigam os hábitos esbanjadores de Alfred, a sem-cerimônia de Alice, que desejaria mudar o ritmo dos serões de Windsor, tão monótonos que seu marido adormece invariavelmente no salão depois do jantar.

"Temo a grande reunião familiar de Osborne mais do que poderia dizê-lo, pois aspiro à calma, preciso de repouso [...]. A boa Alice e Louis me cansam — não são bastante tranqüilos e sempre se surpreendem de que eu não possa fazer tudo o que fazia antes."[1] Dois dias mais tarde, o desabafo monótono da rainha recomeça: "A grande reunião de família está muito longe de ser agradável para mim. Alice é vaidosa e os outros, excitados; quanto a Alfie — tornou-se tão ruidoso e excitável que mal posso suportá-lo".[2] Em 1870 — a caçula já está com 25 anos — uma nova condenação em bloco: "Acredita-me, os filhos provocam terríveis inquietações e os pesares que causam superam muito os prazeres que dão".[3]

Enquanto lamenta o isolamento afetivo em que ela vive, Ponsonby constata durante uma estada na Escócia: "Aqui [...] longe de todos os seus filhos, ela se relaxa". No verão de 1871, ela ficou gravemente doente. Um abscesso no braço infectava-se e seu médico preveniu Ponsonby de que ela podia morrer em 24 horas. Uma de suas damas, Lady Churchill, admirou-se de que não se mandasse chamar seus filhos: "Bom Deus", exclamou seu Master of Household, Sir Thomas Biddulph, "isso acabaria com ela".

Nessas condições, é pouco surpreendente que as relações familiares melhorem com a distância. "Eles temem a rainha", escrevia Ponsonby, "e são incapazes de se opor a ela." A única que ousava enfrentá-la era a última a ter chegado, a mulher de Leopold, que sempre fazia questão, para grande surpresa de Vitória, das explicações de viva voz. Todos os outros recorriam à pena ou a diferentes intermediários. Ora, o intermediário preferido da rainha era um dos elementos do problema, e não dos menores, pois se tratava de John Brown.

John Brown era um velho conhecido, desde a época das primeiras caçadas em Balmoral. Na Escócia, o esporte consistia em seguir o cervo a pé. Tratava-se de uma longa perseguição individual, que não tinha nada a ver com batidas e menos ainda com uma caça com cães. Cada convidado partia sozinho com seu fuzil, sua garrafa de uísque e seu *gillie*, que lhe servia a uma só vez de guia, de couteiro e de batedor. De início, John Brown acompanhava o príncipe consorte. Depois ele passou da caça à organização dos piqueniques, grande distração de Balmoral, ajudava a preparar a colação e até a servia quando não estava muito "embaraçado", delicado eufemismo. John Brown, como todos os *gillies*, bebia bem; o costume ditava, de fato, que o cavalheiro abandonasse a garrafa, geralmente três quartos cheia, a seu servidor.[4] Nas excursões, Brown cuidava mais particularmente de Vitória, verificava sua parelha ou sua montaria. Quando passeavam a pé, ele a carregava se a estrada se tornava muito escarpada para ela. Mostrava-se útil e alegre, "um filho da natureza", dizia dele Ponsonby, e essa simplicidade conquistara Albert e Vitória. Um dia, ele lhe disse irrefletidamente que ela estava muito pesada e ele tinha dificuldade em erguê-la. Todo mundo riu e a observação não foi levada a mal. Uma carta de outubro de 1861, dirigida ao tio Leopold, descreve-o acumulando "as funções de cavalariço, de lacaio, de pajem e, quase se poderia dizer, de camareira, pois é muito hábil no manejo das capas e dos xales".[5] Ele era forte, seguro, e sua brusquidão tranqüilizava Vitória. Portanto, nada de excepcional, a não ser, como o observava Mary Ponsonby, que Vitória e Albert mostravam-se muito mais à vontade entre os servidores que entre os cortesãos. Muito sensíveis ao fato de que ninguém de seu círculo ocupava sua posição, ambos desconfiavam de quem se achava diretamente abaixo deles e, preferindo saltar alguns degraus, reservavam sua benevolência aos seus criados. Isolamento mundano sem conseqüência para Vitória enquanto Albert viveu, mas que se tornou trágico desde que ela se viu só. Nenhuma amiga ou confidente e uma recusa fundamental de admitir a amizade em igualdade com seus filhos. Como não imaginar que essa mulher extremamente impulsiva, habituada a uma troca constante com seu marido, não se sentisse sufocar? As cartas a Vicky permitem um desafogo, por certo salutar, mas insuficiente. A espontaneidade, a rudeza, a naturalidade de John Brown iam proporcionar o sopro de ar fresco indispensável. Que ela tenha recorrido a um "inferior" é menos surpreendente do que parece. É uma tradição real preferir a companhia dos servidores a qualquer outra, e Vitória não escapou à regra. A despeito de sua aparência de mãe de família burguesa, ela era rainha até a raiz dos cabelos, excessivamente consciente da excepcionalidade de sua posição. Ora, ver-se privado de iguais é o preço de um poder desmedido.

À morte de Albert, Vitória adotara uma atitude muito perigosa para seu equilíbrio psicológico, erguendo uma espécie de muro entre si e os outros. Suprimiu qualquer aspecto representativo e cerimonial de sua existência, mas conservou uma atitude de personagem pública em sua vida privada. Antes de sua viuvez, havia nela duas personagens paralelas mas distintas: a rainha que se exibia no Parlamento, na corte e no estrangeiro, e *Weibchen*, "a mulherzinha" que se expandia na intimidade. Depois, houve um abalroamento. Não restou mais que a rainha, que não funcionava mais em público mas no privado. Que Vitória tenha tido necessidade de abandonar esse papel, ainda que fosse diante de uma única pessoa, é um sinal de saúde.

John Brown penetrou mais fundo na intimidade da rainha não por intriga, mas por incitação do médico da corte. Este, preocupado com a inatividade física da rainha e sabendo quanto o exercício lhe era necessário, quis fazê-la voltar a montar a cavalo. Teve então a idéia luminosa de mandar vir Brown de Balmoral a Osborne. Nenhum cavalariço conviria tanto. Os resultados superaram suas expectativas. Alguns meses mais tarde, a rainha anotava já em seu diário: "Decidi que Brown ficaria aqui de maneira permanente". Daí em diante ele usará o título de "The Queen's Highland Servant" e, detalhe significativo, receberá ordens apenas dela. A ausência de intermediário entre ela e ele foi o germe de sua importância. Ele escapou assim à hierarquia normal dos servidores e via Vitória regularmente duas vezes por dia, a sós.

Por que não avaliar seus progressos pelas cifras? Seu salário começa com 120 libras. Um ano depois, ele recebe 150 libras, logo 230, mais setenta libras para seu vestuário. Em 1870 estará em 310 libras, e em 1872 um novo, mas não último, aumento eleva-o para quatrocentas libras. Além disso, Vitória quer recompensá-lo concedendo-lhe um título: "Vereis nesse gesto", escreve-lhe ela, "meu imenso desejo de mostrar cada vez mais o que sois para mim e, pouco a pouco, isso será cada vez mais evidente. Todo mundo ouve-me dizer que sois meu amigo e a pessoa em quem tenho mais confiança [...]. Vossa fiel amiga, Vitória R.". Doravante, ser-lhe-á dado o *esquire*.

Ela não se enganava ao prever que o favor de Brown se tornaria de notoriedade pública. De resto, caso seus parentes no estrangeiro não avaliassem exatamente a situação, ela esclareceu-lhes seus sentimentos. O tio Leopold é prevenido: "Brown é um real reconforto para mim, pois me é tão devotado — tão simples, tão inteligente, tão pouco como um servidor comum". A princesa herdeira ouve falar de Brown talvez com mais freqüência do que desejaria: "Ele vem receber suas ordens em meu quarto, depois do café da manhã — e tudo é sempre tão bem executado — ele é tão tranqüilo, tem uma excelente cabeça, uma tal memória [...]. É um excelente arranjo e tenho a impressão de ter sempre na casa uma boa alma devotada [...] cujo único objetivo e único interesse é meu serviço, e Deus sabe quanto preciso que cuidem de mim".[6]

Até o presente, nada de repreensível. Todos se alegram em ver Vitória retomar algum gosto pela vida. Ela própria confessa à filha que, por vezes, se censura: sua dor torna-se menos violenta; sua tristeza parece tornar-se-lhe doce e familiar. Não hesita em dizer quanto o calor um pouco rude de John Brown lhe faz bem. Não é como o bom decano Stanley, tão frio que lhe "parece assexuado". Mas ela vai mais longe, e suas apreciações explicam facilmente o mal-estar que não tardará em apoderar-se de sua família, e mesmo da opinião pública. Sempre à sua filha, ela sublinha a coragem moral e a discrição de Brown, "de quem poderia orgulhar-se o príncipe mais bem-nascido [...]. E nesta casa, agora sem direção masculina, onde há tanta gente e com freqüência tanta indiscrição, uma pessoa assim é inestimável". Bem gentil com os filhos, com os genros! São tão pouco viris? Em todo caso, eles logo vão abespinhar-se. O príncipe de Gales espaça suas visitas a Balmoral porque os desejos de Brown em matéria de caça passam à frente dos seus, mas ele não condescende em uma luta aberta com o servidor, ao contrário de seu irmão Alfred, que provoca uma cena memorável ao apertar a mão de todos os servidores, à sua chegada no castelo, com exceção de Brown. Alice irrita-se, não sem alguma razão, porque a franqueza de Brown é valorizada enquanto a rainha recusa qualquer explicação ou qualquer discussão um pouco mais viva com seus filhos. Se um assunto lhe "excita os nervos", é logo banido. Ora, os filhos sentem bem que há nisso uma usurpação de seu papel. Eles é que deveriam poder ser rudes com sua mãe quando ela se mostra insensata. Eles, ainda, que deveriam debater a política do governo. Em vez disso, é John Brown que ralha, é John Brown que comenta, é John Brown que tem a opinião citada.

O círculo da rainha surpreeende-se também com a extraordinária preocupação que Vitória tem com o bem-estar de seu querido amigo. Se considera que os escudeiros abusam dos serviços de Brown, uma carta maravilhosamente explícita é logo enviada a quem de direito: "Meu pobre Brown tem tanto que fazer que seria um grande alívio se se pudesse sugerir aos escudeiros que não mandassem chamá-lo constantemente para mensagens sem importância; com freqüência, está tão cansado de ser constantemente mantido de pé que se deita, com os pés inchados, e não consegue dormir por excesso de fadiga".[7] A corte teria achado essas atenções mais comoventes se uma pobre dama de honra que se queixava das pernas, depois de uma interminável cerimônia em que todos os assistentes tinham tido de permanecer em pé, não houvesse ouvido da rainha como resposta: "Minha cara, em minha juventude, as damas não tinham pernas". Por que uns tinham o direito de ter pés enquanto outros não deviam ter pernas? Injustiça dos grandes deste mundo!

Enfim, começa-se a fazer comentários maldosos e mesmo a escrever. Nos salões de Londres, comenta-se o comportamento da "sra. Brown". Em 1867, as maledicências que circulam são tão acerbas, e não apenas nos círculos de cavalheiros, que Gladstone quer impedir que a rainha se faça acompanhar por Brown em uma revista ao Hyde Park. Indignação furiosa de Vitória. Por que não cuidam de suas vidas? "Ela jamais aceitará que se dite sua conduta [...]. Jamais será obrigada a modificar disposições tomadas para seu conforto." Observa-se-lhe que a multidão poderia manifestar-se e, quem sabe, tombar seu veículo. Pânico ridículo, responde ela, resultado das tagarelices maledicentes das classes ociosas. Mas não é apenas na Inglaterra que aparecem caricaturas do sr. e da sra. John Brown. Na Suíça, a *Gazette de Lausanne* pretendeu que a rainha desposara John Brown, e o ministro inglês em Berna fez a tolice de perseguir o jornal, dando assim uma publicidade maior à nota.

Ora, Brown nunca passava despercebido com seu *kilt* e sua pele vermelha — o sol lhe dava crises de erisipela — e suas maneiras decididas! E, no estrangeiro, mostrava-se particularmente insuportável. Detestava o clima do Sul, não suportava a comida do continente. Os panoramas mais célebres da Côte d'Azur ou da Riviera italiana o deixavam impassível. Pior, ele geralmente dava um jeito, para grande irritação das damas de companhia, de pôr-se em cheio na frente da rainha, privando-a assim da paisagem. Aliás, se tivesse sido escutado, jamais se teria parado para observar paisagem alguma: ele via terroristas por toda parte. Em suma, era odioso. Mas Ponsonby, responsável pelo bom andamento das viagens, o apreciava: quando a rainha pedia o impossível, Brown sempre se arranjava para satisfazê-la. Nada o detinha, nem mesmo, e sobretudo, o respeito pelo estrangeiro. Um dia, em Coburg, a guarda saiu para saudar a rainha ao som de trombetas e tambores. "Que estardalhaço, minha pobre cabeça", gemeu ela, "se ao menos esse barulho pudesse parar." Não fosse por isso. John Brown saltou de seu posto, atrás do carro da rainha, e avançou para o oficial: "Neca de bumbum", disse ele, peremptório. A música parou imediatamente. Coisas como essa agradavam muito a Ponsonby. Além do mais, ele fora muito freqüentemente testemunha da covardia dos cortesãos e mesmo dos ministros, que não ousavam fazer frente à "Patroa", para não admirar a tenacidade de Brown, a única pessoa que lutava para forçar a rainha a fazer o que não queria. "Ele nem sempre conseguia e sua opinião não era necessariamente a melhor. Mas era honesto e, apesar de sua falta de educação, de sua rudeza, de seus preconceitos e outros defeitos, foi um excelente servidor para ela."

Isso deveria ter sido a palavra final, mas o favor de Brown continuou a alimentar os rumores mais fantasiosos bem depois de sua morte.

Ele morreu em 1883, das conseqüências de um resfriado. A rainha ficou consternada. "Senti o mesmo choque que em 1861", diz ela a Ponsonby. Como surpreender-se com as reações dos meios "bem informados", que insinuavam que a rainha fora amante de John Brown, o único que conseguia satisfazer seus apetites *hénaurmes* e hanoverianos? Não contraíra ela um casamento morganático com ele? Não foi por acaso que essa legenda dos amores da rainha prolongou-se tenazmente. A rainha teve uma maneira tão surpreendente de zombar das aparências, quando se tratava de honrar a memória de Brown, que era preciso conhecê-la ou ter um espírito angélico para não tirar conclusões duvidosas. Depois da morte dele, ergueu-se uma estátua em Balmoral e pediu-se a Tennyson, o poeta oficial da corte, que redigisse a inscrição: "Amigo, mais que servidor, leal, sincero e corajoso...". Alguns versos de Byron foram escolhidos para ornar um soco de granito dedicado à sua memória em Osborne. Bustos dele enfeitaram o jardim em Windsor. Tudo isso era ainda bem inocente, mas ela não projetou mandar escrever ou, pior ainda, escrever ela própria uma vida de John Brown? Dessa vez, seu círculo inquietou-se.

Em 1868, Vitória fizera publicar uma obra intitulada *Folhas de nosso Diário, nossa vida nas Highlands*. Os 20 mil exemplares desse livro, ilustrado com seus próprios desenhos, esgotaram-se rapidamente e seguiram-se várias reedições. Sucesso de curiosidade? De modo nenhum, retrucou a rainha, muito orgulhosa desses resultados e, adicionalmente, furiosa com a reticência de seus filhos. Simplesmente a prova da sensibilidade do público à simplicidade de seu estilo, à harmonia de sua vida familiar e às suas relações afetuosas com seus servidores escoceses.

Quinze anos depois, ela volta ao trabalho e publica *Outras folhas*... Mesmo roteiro. O público devora as ingênuas confidências da rainha. A família sufoca de indignação. Foram necessárias três cartas insistentes a Vicky para que esta manifestasse uma apreciação muito comedida. O príncipe de Gales observa com amargura que não se fala dele. Como assim?, replica a autora, ele é citado quatro vezes. A duquesa de Cambridge, tia de Vitória, julga com severidade "esse estilo vulgar e incorreto, esse texto miseravelmente fútil e trivial! tão tedioso, tão pouco interessante". A rainha zomba de todas essas reservas. Depois de 45 anos de reinado, ela sabe o que o povo reclama e o que é bom para ele. Algumas críticas fantasiosas aparecem nos jornais: "Não é um livro para cair em todas as mãos", pode-se ler no *Spectator*. Algumas caricaturas também. No conjunto, nada de maldoso.

Mas um livro à memória de John Brown corria o risco de provocar mais agitação. Ponsonby é o primeiro a ter conhecimento do assunto. Recebe um pacote da rainha contendo um manuscrito com uma nota explicativa. Ela quer publicar um pequeno memorial para testemunhar sua gratidão a John Brown. Não deseja uma grande tiragem, mas poder distribuir o texto a pessoas escolhidas e mostrar-lhes, assim, que Brown foi para ela mais um amigo que um servidor. Ela não tem tempo de rever essa primeira tentativa. Que pensa Ponsonby desses trechos? O infeliz Ponsonby aflige-se. Imediatamente, ele a faz notar que seu texto poderia ser mal interpretado. Ela não quer acreditar em nada disso. Ele pede socorro ao Decano de Windsor. Este, muito corajosamente, aconselha a rainha a renunciar a esse projeto. Ele acaba por vencer, depois de ter beirado a desgraça e depois de uma luta épica. O manuscrito é queimado.

De fato, é impossível, a quem leu as cartas e o diário da rainha, imaginar que ela tenha tido relações amorosas com Brown. O braço protetor do *gillie* servia apenas para ajudá-la a subir as escadas. Sua presença a alegrava, mas não a satisfazia. Até o fim de sua vida, ela fala de si mesma como de uma pessoa só, privada de amor. O amor, ela o perdera definitivamente com Albert. "Meu pobre velho aniversário", anota ela em 24 de maio de 1871, no auge do favor de Brown, "meus 51! Sozinha, sozinha como estarei sempre. Mas certamente meu querido amor abençoa-me." Quatro anos antes de sua morte, ela retoca seu testamento e cita todos os que espera reencontrar em um outro mundo: "[...] meu esposo bem-amado, minha muito querida mãe, meus filhos e meus três genros falecidos [...] e também todos os que me serviram fielmente, muito particularmente meu bom John Brown e minha boa Annie Macdonald". Annie Macdonald era sua camareira. Havia certa organização social no espírito da rainha; se reúne esses dois nomes no fim da lista, não é em razão de uma similitude de posição?

Depois do desaparecimento de Brown, o círculo da rainha respirou. Não por muito tempo. Um novo favorito perfila-se no horizonte. Ele nunca terá a importância afetiva de John Brown e não provocará os mesmos mexericos, mas causará mais alarme em torno de Vitória. Desde a criação do império das Índias, a rainha sempre tivera servidores hindus. Estava com quase setenta anos quando notou um deles, um jovem muçulmano, Abdul Karim. Ele começou por servir à mesa, mas logo foi promovido à condição de professor da rainha. Ela tomava aulas de urdu e de hindustani com ele porque queria dirigir-se em sua língua às suas tropas indianas. Ele se fez dar o título de Munshi, isto é, de Mestre, mandou destruir todas as fotos que o representavam servindo e disse ser filho de um médico. Tiradas as informações, o médico não passava do boticário de uma prisão. Futilidades, replicou a rainha, que se recusou a crer que seu protegido mentira. Incitada pela oposição que sentia dirigida contra ele, cobriu-o de benefícios: uma casa para ele e sua família, decoração, o direito de servir-se dos veículos reais quando quisesse. Enviou-o à Alemanha e pediu à sua filha que o fizesse visitar o palácio, teve o cuidado de lembrá-la de seu regime: "[...] nada de carne, um pouco de leite, frutas, desculpa-me aborrecer-te assim".

Ela deixou que ele lesse papéis confidenciais. O rapaz foi acusado de ser um espião. O secretário de Estado dos negócios indianos ameaçou não mais enviar à rainha os despachos, se continuasse a comunicá-los ao Munshi. Ela foi obrigada a ceder nesse ponto, mas quis impor seu favorito por ocasião de uma viagem ao Sul, em 1899. Teria sido preciso que ele compartilhasse das refeições do séquito de Sua Majestade. A secretária pessoal da rainha veio participar-lhe a aversão da Casa por esse arranjo. Vitória entrou em tal ira — tinha oitenta anos na época — que, com um gesto, varreu a superfície de sua escrivaninha, lançando tudo, papéis, penas e tinteiro, ao chão. Mas sua gente resistia. Caminhava-se para o impasse quando o primeiro-ministro, Lord Salisbury, chamado em socorro quando a Casa ameaçou fazer greve, teve a astúcia de observar à rainha que os franceses, "tão esquisitos", eram bem capazes de zombar do pobre Abdul e causar-lhe desgosto. A rainha, atingida por esse argumento, consentiu então em deixá-lo na Inglaterra.

O incidente mostra, antes de tudo, a ausência de preconceito racial em Vitória, qualidade muito rara à época; poucos ingleses, com exceção dela, consentiam em freqüentar hindus se eles não fossem príncipes. Ele permite descobrir igualmente seu total desprezo pelas conveniências desde que estas a aborrecessem. Ela conservou por toda a sua vida uma vontade bastante admirável de fazer o que queria sempre que possível. Nisso, situava-se na tradição do bel-prazer do rei. Essa foi sua regra na organização de sua vida pessoal, na qual podia tudo. Em política interna, ela não tinha nenhuma liberdade de ação, mas, em política matrimonial — seu domínio reservado da política externa de seu país —, não hesitou em fazer prevalecer seus pontos de vista, tão sãos quanto originais.

# 7

# *DE HANOVER A WINDSOR*

*Querida vovó — Correspondências européias — 1870 ou a terrível impotência — Viva a Inglaterra, meu genro!*

Encorajada por seu tio Leopold e pelo príncipe Albert, Vitória não levou muito tempo para considerar-se uma especialista em matéria de política externa. À medida que seus filhos e netos iam se estabelecendo no continente, o parentesco horizontal, que caracterizava as alianças Saxe-Coburg, deu lugar a uma pirâmide, coroada pela rainha da Inglaterra. No fim de sua vida, seus netos ocupavam ou estavam a ponto de ocupar os tronos da Alemanha, da Rússia, da Grécia, da Noruega, da Romênia, da Iugoslávia, da Suécia e da Dinamarca. Nessas condições, era preciso ter o espírito particularmente claro para não misturar intempestivamente assuntos de família e assuntos de Estado.

Ora, Vitória levava uns e outros igualmente a sério, sem por isso deixar-se arrastar a complicações internacionais. Enquanto avó da Europa, no sentido próprio, dá um espaço considerável, em sua correspondência, aos casamentos, partos, doenças e mortes. Exige constantemente detalhes, tendo um prazer muito particular com tudo o que se refere aos nascimentos. Ela própria faz as vezes de agência de empregos para suas netas preferidas: "Creio que agora precisarias procurar uma ama (não uma enfermeira); recomendaram-me duas vivamente. Uma tem 38 anos — muita experiência — e a outra, igualmente excelente, tem 25. A primeira aceitaria 35 a quarenta libras e a segunda, 35 ou 36. Nenhuma ama competente irá por menos".[1] Os detalhes reclamados sobre a gravidez não têm nada de vitoriano em sua surpreendente precisão: "Se compreendo bem, a última vez que estiveste incomodada foi em 17 de maio [...]. Segundo os meus cálculos, o acontecimento deveria ocorrer entre 20 e 27 de fevereiro mais ou menos [...]. É preciso que me digas as últimas datas precisamente, pois estou muito desejosa de prever arranjos referentes ao doutor e à ama tão exatamente quanto possível".[2]

Suas preocupações são também psicológicas e aí ela revela-se avó muito terna, sobretudo para os filhos de sua segunda filha, Alice, grã-duquesa de Hesse, morta prematuramente em 1878. As quatro netas[3] continuaram a viver em Darmstadt, na casa do pai, mas vinham passar as férias com a rainha. Ela vigiava bem de perto a organização de sua vida, seus estudos, suas maneiras, chegava a ter tempo de escolher seus vestidos. Estabelece uma correspondência regular com a mais velha, também Vitória, que tem quinze anos à morte da mãe e é promovida à condição de responsável. "Quando vos ausentais, tua irmã e tu", escreve-lhe ela, por exemplo, "é preciso não deixar Alicky sozinha com Miss Jackson [a governanta]. Essa mulher tem má saúde, mau humor, é dura e colérica. Isso faria mal a Alicky. É preciso encontrar-lhe alguém mais jovem, mais doce, mais vivo, senão ela será muito infeliz."[4]

Poder-se-iam multiplicar as citações. Nada deixa a rainha indiferente. Basta pedir-lhe a opinião para receber uma resposta e, muitas vezes, uma ajuda calorosa. Essas cartas às suas netas mostram quanto se mantinha informada da vida sentimental de sua família. Seu círculo sempre se surpreendia de que a pequena velha dama, encerrada em seus palácios e oculta atrás de seus véus negros, conhecesse a última travessura de seus netos e avaliasse com muita justeza os movimentos de coração da jovem geração.

Mas qualquer que seja seu gosto em sentir-se assim bem à frente de sua família, suas preocupações continuam a ser antes de tudo políticas, e ela aproveita a presença de sua filha em Berlim para fazer funcionar uma rede de informação pessoal e eficaz. Impossível superestimar a importância dessas famosas informações no século XIX, e sobretudo a rapidez de sua transmissão. A correspondência constitui uma verdadeira ferramenta de trabalho nos círculos dirigentes, políticos ou financeiros. O sistema familiar de comunicação dos Rothschild foi o elemento primordial de seus primeiros sucessos. Sem a qualidade e a extensão de suas informações, Bleichröder, o maior banqueiro prussiano da época, não teria podido estabelecer sua primazia. Uma parte da influência da rainha Vitória, e não a menor, provinha do fato de ela ter suas próprias fontes de informação, particularmente seguras na Alemanha.

Durante toda a primeira parte do século XIX, houve relações privilegiadas entre a Inglaterra e a Alemanha. Três dos avós do príncipe de Gales eram puramente alemães e o quarto, mais da metade alemão. Uma espécie de cumplicidade afetuosa ligava os dois países, reforçada por sua comum desconfiança em relação à França e à Rússia. O qualificativo "*dear*" é sempre aposto à Alemanha no vocabulário da rainha, essa "querida Alemanha". Psicologicamente, a sensibilidade alemã é mais apreciada que a *furia francese*. Viu-se que o julgamento favorável feito sobre Napoleão III justificava-se pelo fato de que seu caráter parecia mais alemão que francês.

O estabelecimento da princesa herdeira em Berlim devia naturalmente facilitar mais ainda uma aproximação entre os dois países, ajudando a Alemanha a atingir o ideal liberal e constitucional da Grã-Bretanha. Pois, no espírito dos soberanos ingleses, não existia nenhuma dúvida: seu país era uma nação superior. Um detalhe significativo: Berlim pedira que, de acordo com o uso, o casamento do príncipe herdeiro ocorresse em Berlim. A reação de Vitória não se fez esperar: "A pretensão de que é pedir muito um príncipe herdeiro prussiano vir desposar a princesa herdeira da Grã-Bretanha NA Inglaterra é realmente muito absurda, para não dizer mais [...]. Qualquer que seja o costume habitual dos príncipes prussianos, não é todos os dias que se desposa a filha primogênita da rainha da Inglaterra".[5] A questão não foi levantada, mas talvez explique a reação hostil que surgiu na Prússia contra a pequena princesa. Bismarck explica-se sobre isso a um amigo:

> Perguntais-me o que penso do casamento inglês. Devo separar as duas palavras para dar-vos minha opinião. O "inglês" não me agrada, o "casamento" pode ser muito bom, pois a princesa tem a reputação de ser uma dama de coração e de espírito. Se a princesa conseguir deixar a inglesa em casa e tornar-se prussiana, ela talvez seja uma bênção para o país. Se nossa futura rainha da Prússia continuar a ser um tantinho inglesa, então prevejo que nossa corte será invadida pela influência inglesa ao passo

que nós outros, e os futuros genros de sua Graciosa Majestade, jamais seremos levados em consideração na Inglaterra.[6]

Muito depressa a princesa foi fichada como "Engländerin". Ora, "Engländerin" é o equivalente de austríaca para os franceses. Aliás, ela própria fez a comparação ao queixar-se à mãe: "Tratam-me aqui como Maria Antonieta".[7] A realidade era complexa e o príncipe de Gales a analisava mais justamente quando declarava: "Minha irmã é muito inglesa na Alemanha e muito alemã na Inglaterra". É certo que o mal-estar que ela não tardou a sentir na corte prussiana incitou-a a expandir-se com a mãe, participando-lhe todos os seus problemas familiares e políticos. Assim, a intensidade dessa correspondência nunca enfraqueceu.

Bem evidentemente, nem uma nem outra a consideram uma correspondência comum: por certo, às vezes escrevem-se simplesmente como mãe e filha, porém com mais freqüência colocam-se como defensoras de seu respectivo país ou, ainda, servem de intermediárias oficiosas a seu governo. Quais são as regras adotadas para essa troca? É preciso lembrar a desigualdade de situação das duas correspondentes, que não se devia apenas às suas relações familiares. Nem a princesa nem seu marido estavam no poder. Não tinham nenhuma influência sobre Bismarck, o senhor inconteste do país durante esse período; bem ao contrário, a animosidade entre eles era de notoriedade pública. Por certo, em tempo de guerra, confiava-se um comando militar a Fritz, mas, comumente, suas funções limitavam-se ao protocolo. Portanto, a princesa não se considerava, com justa razão, sujeita a uma estrita discrição, nem obrigada a transmitir todas as comunicações de sua mãe aos ministros alemães, contrariamente a esta, que partilhava todo o maná político com seu governo e não se permitia dar a menor opinião política sem o acordo deste. Ela teve mesmo o cuidado de esclarecer à filha que nunca citasse sua opinião se esta não concordasse com a emitida pelo governo inglês. A diferença devia-se, então, à ausência de responsabilidade de uma e às obrigações constitucionais da outra. Os respectivos ministros não se enganavam quanto a isso. Essa correspondência exasperava Bismarck, ao passo que encantava seus homólogos ingleses. Mesmo Gladstone, conquanto tivesse tão más relações pessoais com a rainha, a aplaudia: "As relações pessoais e familiares entre as famílias reinantes no estrangeiro permitem aberturas e, nos casos delicados, permitem dizer mais e dizê-lo a uma só vez mais levianamente e mais eficazmente do que se poderia tentar fazer em uma correspondência mais oficial e pelos contatos mais rudes entre os governos".[8] Portanto, eventualmente, pedia-se à rainha que interviesse, e não se deixava, então, de agradecer-lhe formalmente: "Lord Granville, muito grato [...], lembra-se das comunicações de Sua Majestade com o imperador da Alemanha durante a guerra franco-prussiana [...]. Ele confessa que pretende tirar o melhor partido da influência de Sua Majestade no estrangeiro".[9] No caso da correspondência com a filha, Vitória tem a vantagem de colher informações diretas sobre a qualidade de sua representação diplomática em Berlim.

A guerra dos ducados foi a primeira grande crise internacional vivida por Vicky. A questão era tão complicada que Palmerston pretendia que apenas três pessoas a haviam apreendido: o príncipe Albert, que estava morto, um professor alemão que enlouquecera e ele próprio, que a esquecera. Entretanto, é preciso saber que esses dois ducados, membros da confederação germânica, haviam sido dados no congresso de Viena, em 1815, ao rei da Dinamarca, a título pessoal. Cristiano VII da Dinamarca morreu em 1863, sem herdeiro direto. Sua coroa passou então a Cristiano IX, descendente pelo lado feminino. Ora, os ducados não reconheciam a filiação feminina. Reclamaram, portanto, o direito de separar-se da Dinamarca e de constituir-se como Estado independente, sob a tutela de um príncipe alemão, Frederico de Augustenburg. Essa solução agradava à confederação germânica, mas Bismarck, desafiando a opinião alemã em geral e a opinião liberal prussiana em particular, impôs uma solução pela força. Fez guerra com a Dinamarca para libertar os ducados, depois recusou-lhes a independência e os anexou. Foi a primeira guerra de anexação de Bismarck, tão inútil e conduzida de maneira tão brutal que a Europa ficou chocada.

Depois da guerra, aumentou a tensão entre a Prússia e a Grã-Bretanha, a ponto de a princesa herdeira preocupar-se; ela decidiu então comunicar sua opinião sobre o embaixador inglês à mãe:

> Sir A. Buchanan, um excelente homem, de quem gosto e que respeito pessoalmente, não convém absolutamente a seu posto e granjeou uma péssima reputação aqui. Ele não sabe alemão e não compreende absolutamente nada das questões alemãs nem da posição da Prússia [...]. Suas informações provêm de fontes ruins; os diplomatas que ele escuta são

estúpidos e não compreendem nada (os brasileiros, por exemplo). Ele depende para todas as coisas de Mr. Lowther, que é incontestavelmente o homem mais idiota que conheço [...]. O bom, o excelente Morier, que não posso louvar suficientemente [...], não está em boas graças.

A rainha felicita a filha por sua franqueza: "Estou muito contente que me digas tudo o que pensas de Sir A. Buchanan e estou inteiramente de acordo contigo [...]. Vou fazer todo o possível para, sem comprometer quem quer que seja, obter sua mudança, assim como a de Mr. Lowther, que efetivamente é um completo idiota. Quanto ao esfriamento entre nossos dois países, não é inevitável se tu e Stockmar continuardes a manter-me informada da verdadeira situação".[10]

O embaixador será substituído desde o mês de agosto e a rainha não hesita em citar sua filha ao recomendar Morier para o posto de primeiro secretário a seu ministro, Lord Derby. Cada crise entre os dois países vê o mesmo esquema reproduzir-se: a princesa critica os diplomatas; a rainha transmite as informações ao ministério, que, na maior parte do tempo, leva em consideração as observações da princesa. Vitória então manda enviar ao ministro a cópia das cartas da filha. Portanto, nesse ponto, e até a chegada de Guilherme II ao trono, a colaboração permanece estreita e frutífera.

No que se refere aos lados secretos da política geral, notadamente à ascensão de Bismarck e ao estabelecimento da "política do Ferro e do Sangue", a rainha tira suas informações pessoais não apenas da filha, mas também de sua parentela alemã. Todas as maquinações daquele que ela chama "the wicked man", o Malvado, lhe são assim reveladas. E, cada um por vez, sua filha, seu genro, a rainha da Prússia, igualmente contrários a Bismarck, encorajam-na a intervir para tentar frear a brutalidade do expansionismo alemão.

Assim, antes da guerra contra a Áustria, na qual a vitória de Sadowa rematará a unidade alemã, ela menciona uma carta "muito importante de Fritz fazendo-a saber que o rei deseja uma mediação inglesa e espera [que ela possa] interromper a guerra".[11] No dia seguinte, ela recebe uma carta urgente de Vicky: "Minha mamãe querida [...], o que é muito importante que saibais é que o Malvado está furioso de que o rei vos tenha pedido, por Fritz, para intervir; ele pretende que isso é inconveniente — estorva seus planos etc. constitui uma interferência inútil [...], em suma, ele está muito encolerizado e agora fará tudo o que puder para sujeitar o rei à sua política e paralisará qualquer intervenção externa. Creio que precisais estar a par sem demora, portanto vos escrevo diretamente, embora isso possa parecer intriga, o que detesto".[12] No dia 26 de março, é a vez de a rainha da Prússia incitá-la a agir "sem perder tempo". Ela o faz então, tendo evidentemente o acordo de seu primeiro-ministro: "Meu irmão querido [...], estais enganado; fizeram-vos crer que sois atacado e eu, vossa amiga sincera e vossa irmã, ouço atacar e insultar vosso nome pelas faltas e pela audácia de outrem — ou, antes, de um único homem".[13] Tempo perdido. O jogo é desigual entre Bismarck e todos os outros. Em primeiro lugar, o rei acreditava não poder dispensá-lo: portanto, bastava Bismarck ameaçar demitir-se para obter ganho de causa. Em seguida, Birmarck não estava aberto à negociação; queria exercer o poder recém-estabelecido da Prússia, utilizar suas forças para engrandecer o Estado, fomentar guerras para ganhá-las e não para resolver problemas.

A guerra de 1870 foi uma outra ilustração desse processo. O pretexto foi fornecido pela Espanha, mais uma vez em busca de um rei. Bismarck, consciente de que sua proposta seria inaceitável para a França, favoreceu a candidatura de um Hohenzollern. Antes mesmo do anúncio oficial da notícia, a princesa herdeira previne sua mãe:

> Agora, devo comunicar-vos uma mensagem de Fritz. Isso não me diz respeito absolutamente, mas ele deseja que eu vo-lo escreva em seu nome e vos peça que o considereis como o mais grave dos segredos [...]. Trata-se da oferta da coroa da Espanha a Leopold Hohenzollern. Os espanhóis não querem que os franceses estejam a par, mas o rei, Leopold e Fritz querem ter vossa opinião privada; é um segredo tão importante que é impossível comunicar-se com Lord Clarendon [o ministro das Relações Exteriores] a esse respeito [...]. Aqui, ninguém ainda está a par. Consentiríeis, por favor, em dar-me uma resposta que eu possa mostrar às pessoas mencionadas?[14]

Confidencial ou não, a mensagem é imediatamente discutida pela rainha e por Lord Clarendon, que a aconselha a não dar opinião nem privada nem oficial: "Não seria oportuno que Vossa Majestade desse sua opinião sobre uma questão que não está diretamente ligada aos interesses britânicos".[15] Ela não despreza as diretrizes dadas. Mas Clarendon morre em junho; é substituído por Lord Granville, que, ao contrário, pensa que a Inglaterra tem toda a vantagem em tentar acalmar as tempestades continentais. Ela intervém então, mas a paz já não pode ser salva. Aproveitando as exigências francesas, Bismarck redige o famoso despacho de Ems e provoca as hostilidades.

A rainha toma então consciência do pouco peso de suas alianças pessoais. Para agir verdadeiramente na Europa seria preciso que ela pudesse falar em nome de uma Inglaterra determinada a comprometer-se ativamente na luta, ou que ela própria pudesse ter uma influência mais vigorosa sobre seu próprio governo. "É exasperante ser uma rainha constitucional e não poder fazer o que é justo."[16] Simples porta-voz de uma nação que prefere o isolamento à intervenção, ela apenas pode constatar, nesse caso preciso, a expansão ameaçadora da Alemanha.

Desde os anos 1860, as divergências não fizeram mais que se acentuar entre os dois países. No plano pessoal, Vitória sofre com isso, pois, a despeito da constância da afeição da filha, as relações entre elas ficam tensas a cada crise. Vicky, apesar de sua lealdade inglesa, apesar de sua hostilidade à política de Bismarck, revela-se agressivamente prussiana em caso de urgência, e isso desde os seus primeiros anos em Berlim. A política envenena todos os reencontros familiares. Assim, por ocasião da guerra dos ducados, enfrentamento desigual entre a Prússia e a pequena Dinamarca, o príncipe de Gales e sua esposa dinamarquesa chocavam-se violentamente contra os "prussianos", Fritz e Vicky, à mesa familiar. A rainha ficara infeliz com isso: "Nessas circunstâncias, a visita de Vicky e de Fritz é exasperante e penosa", escrevera ela ao tio Leopold.[17] As coisas agravam-se ainda mais depois do bombardeio da cidadezinha dinamarquesa de Svendborg, considerado bárbaro e inútil na Inglaterra. Então Vicky defende a Prússia, mais energicamente ainda que seu marido, e irrita sua família materna no mais alto grau: "Os ataques do *Times* e do Parlamento, tão absurdos, injustos, grosseiros e violentos, só fazem aumentar a irritação ou, antes, o desprezo da Prússia pela posição inglesa. O que diria Lord Russell se, a cada instante, fizéssemos investigações sobre o que se passa no Japão, onde o almirante Kuper não se mostra tão intensamente escrupuloso a respeito dos bombardeios?".[18]

Dois anos mais tarde, é a guerra desencadeada pela Prússia contra a Áustria, guerra que, segundo Vitória, poderia ter sido "conduzida para uma causa melhor e contra verdadeiros inimigos e não contra irmãos alemães".[19] Os combates levam os prussianos à ocupação do grão-ducado de Hesse, onde reina Alice, a segunda filha de Vitória, e do reino de Hannover, feudo do primo irmão da rainha. Esta intercede em favor dos vencidos: "Temos muito empenho nisso, aqui", escreve ela à filha, "menciono-o a ti e a Fritz".[20] Ela inspira uma resposta de um rigor inesperado:

> Nestes tristes momentos, não devemos deixar nossos sentimentos pelos parentes influenciar nosso julgamento sobre as necessidades políticas, sem o que seríamos levados, de um lado e outro, pelas esperanças, votos e desejos expressos por aqueles que lamentamos ter de fazer sofrer [...]. Ah! é tão cruel ter de combater o coração com a cabeça [...]; mas a espada decidiu pelo combate e o vencedor tem de estabelecer suas condições, e elas serão duras para muitos. Não posso e não quero esquecer que sou prussiana e sei que é difícil fazer-vos compreender, a vós e aos outros não-alemães, nossa posição. Fizemos enormes sacrifícios e a nação recusará tê-los feito em vão! Temo não vos poder dar outra resposta hoje.[21]

A rainha inquietou-se rapidamente, em 1870, com os combates em torno de Paris e com a tenacidade prussiana: "Eu ficaria desolada se Paris sofresse, em razão de sua beleza e de suas obras de arte [...]. Aqui as pessoas pensam que seria muito mais sensato, da parte da Alemanha, não exigir a Alsácia e a Lorena, porque a paz não poderia ser duradoura se, depois de tantos anos, os franceses tivessem de ceder esses territórios [...]. Darei tudo para deter esse massacre, tão monstruoso em tempos civilizados".[22] O bombardeio de Paris desencadeia um violento movimento de opinião na Inglaterra: "A simpatia aqui esteve do lado da Alemanha, mas temo que isso mude [...]. Há uma total incompreensão entre os dois países".[23] Alguns dias mais tarde, a rainha retoma o tema e previne sua filha de que "o sentimento contra a Prússia é agora tão amargo quanto possível".[24]

No plano familiar, ela vai tirar rapidamente as conclusões disso. Cogitara-se vagamente de um casamento entre sua quarta filha, Louise, e o irmão caçula de Fritz. A despeito de toda a sua família, ela decide pôr fim ao projeto, promovendo o noivado da moça com um inglês, um súdito, "*a subject*", para empregar o termo em uso nos círculos reais. Decisão pessoal, original e extremamente inteligente, que ela terá dificuldade em fazer seus outros filhos admitirem.

O primeiro a ser informado é o príncipe de Gales, por uma longa carta, precisa e carregada de bons argumentos: "Não desejo nada tanto quanto nosso acordo, meu e teu, sobre o assunto tão importante do futuro de Louise. Sou irrevogavelmente contrária a uma aliança com a Prússia e tenho todas as razões para crer que és da minha opinião.

> Tu te opões, contudo, ao que, estou certa disso, fará a felicidade de Louise, a calma e a paz da família. Os tempos mudaram, muito: as grandes alianças estrangeiras são apenas causa de discórdias e de inquietações e não servem para nada. O que houve de mais penoso que a situação de nossa família durante as guerras da Prússia contra a Dinamarca, depois contra a Áustria, dilacerada, privada de qualquer meio de ação? [...]. Nada é mais impopular aqui e mais desagradável para mim e para meu círculo do que essas longas permanências de nossas filhas casadas no estrangeiro; em visita, elas trazem uma multidão de estrangeiros; suas opiniões sobre tudo são estrangeiras; no tempo de teu papai bem-amado as coisas eram totalmente diferentes e, de resto, a Prússia não havia engolido tudo. Talvez estejas menos consciente do que eu da impopularidade dos casamentos das princesas da família real com principezinhos alemães [os "mendigos alemães", como eram chamados]. É preciso pedir dinheiro para seu dote ao Parlamento, dinheiro que será gasto no estrangeiro, enquanto elas poderiam perfeitamente se estabelecer aqui, sem com isso alienar os direitos de seus filhos à sucessão [...]. Um casamento inglês reforçaria a influência da família real e lhe infundiria sangue novo e vigoroso, ao passo que todos os príncipes estrangeiros são parentes entre si. Assim, embora eu possa continuar a praticar alianças estrangeiras com diferentes membros da família, estou certa de que sangue novo reforçaria o trono moral e fisicamente.[25]

A alusão ao sangue novo não era leviana. Vitória não fazia questão de preservar a pureza do sangue real. Alguns glóbulos morganáticos não lhe davam medo, bem ao contrário. Ela provou-o por ocasião do casamento de sua prima irmã, Mary, filha do duque de Cambridge, com o sedutor príncipe de Teck, havia pouco aceito nas famílias principescas alemãs porque sua mãe, uma bela polonesa, não tinha todos os seus costados de nobreza muito em ordem.

> Creio que deveríamos ser gratos por ter uma pessoa como ele na família [...]. Como eu desejaria encontrar outros príncipes ou princesas de olhos negros para nossos filhos! Não posso deixar de pensar em teu querido papai, que afirmava que uma pequena imperfeição no sangue real era, na verdade, uma bênção; isso permitia infundir-nos um pouco de sangue novo [...]. Esses eternos cabelos loiros e esses olhos azuis tornam o sangue linfático. A querida Alix não trouxe forças à família [...]. Todos os seus filhos são lamentavelmente pequenos e mirrados (cada um mais fraco que o precedente). É uma verdadeira desgraça. Não posso dizer-te quanto esses pobres pequenos elfos frágeis desolam-me pela honra da família e do país. Teu papai adorado teria ficado absolutamente desesperado com isso.[26]

Posto isso, ela não tem muitas ilusões sobre a reação de Vicky ao noivado de sua irmã e escreve-lhe, então, em um tom tão firme quanto sensato, para a prevenir de que o novo genro será Lord Lorne, filho primogênito do duque de Argyll:

> Agora devo anunciar-te um acontecimento que acaba de ocorrer em nossa família, e que, com a bênção de Deus, deverá levar à felicidade de nossa querida Louise. Ela está noiva de Lord Lorne. Bem sei que esse casamento, antes que seja bem compreendido, surpreenderá no estrangeiro. Grandes alianças, como a tua, são boas e desejáveis para certos membros da família — embora eu receie que tenham pouco peso político na medida em que não podem e não devem pesar nas decisões dos governos e das nações e, portanto, causem tormentos incalculáveis às próprias famílias reais — como nós duas bem sabemos — pois se suspeita de que exerçamos influências e preferências ilegítimas [...]. Minha querida filha, não duvido, quaisquer que sejam teus sentimentos à primeira vista, de que te alegrarás à perspectiva de felicidade de Louise — que, creio, é muito grande — e de que lhe escreverás uma carta afetuosa e amorosa. Tem a bondade de enviar esta carta à nossa querida Alice, pois não posso anunciar-lho antes que ela esteja bastante recuperada para receber a notícia.[27]

Infelizmente, não se tem a resposta da princesa herdeira à sua mãe, mas pode-se adivinhar sua decepção pelos termos da carta que Vitória teve de enviar-lhe, alguns dias depois: "Eu não teria desconfiado de tua reação; certamente, não teria imaginado que ela pudesse ser tão contrária ao sentimento da nação".[28] Algumas semanas mais tarde, ela é obrigada a voltar à carga:

> Por certo, eu não esperava que o fato de Louise preferir uma existência calma e familiar a partir para uma corte e um país estrangeiro, semeados de provações e de armadilhas, surpreendesse e aborrecesse o rei, tão decidido — projeto muito lisonjeiro para mim — a acolher uma outra de minhas filhas em sua família. Mas eu teria acreditado que tu terias preferido isso a um principezinho alemão, que teria sido a única alternativa possível. Um segundo casamento prussiano — por mais popular que o teu possa ser e por mais orgulhosos de Fritz que estejamos — não teria agradado aqui — mesmo que eu consentisse nisso —, como também não a escolha de um outro pobre principezinho alemão. Sei disso há muito tempo. Ao passo que o favor desta iniciativa e deste casamento em todo o Império, inclusive na Irlanda, é absolutamente maravilhoso! E, já que a família real é tão numerosa e nossos filhos têm (ai) um tal enxame de filhos, a aliança de alguns deles com as grandes famílias do país dá uma força imensa à monarquia e constitui um laço importante entre a família e o país. Reflete no que te digo, e verás que essa política deverá ser seguida em outras partes também. Além disso, uma transfusão de sangue novo é uma necessidade absoluta — senão a raça degenerará no físico e no moral.
>
> A unidade em nossa família é de grande importância — mas é muito difícil de manter, dado o nosso grande número, o que, como teu papai, deploro, e não creio que os dois irmãos mais velhos — por razões diferentes — contribuam para ela. Alix não é esperta e seus sentimentos são tão antialemães, sem por isso ser verdadeiramente ingleses, que ela não é de grande ajuda — embora seja boa e doce e agradável e eu a ame muito.[29]

Avalia-se a força da oposição da princesa herdeira pelo fato de sua mãe ter de lhe reescrever, de resto utilizando sempre os mesmos argumentos, no fim do mês de novembro, sublinhando o fato de que já não se sente capaz de controlar uma família desunida: "No tempo de teu querido papai, as coisas eram bem diferentes [...] mas esses interesses divergentes são tão terrivelmente penosos para mim e para meus filhos que não posso encorajar esse gênero de alianças, e vi no casamento com um súdito um futuro de conforto, de paz, de unidade e de harmonia para minha filha".[30]

Seus filhos, talvez temendo casamentos desiguais impostos por mamãe (embora a questão seja diferente para os rapazes, uma vez que Vitória absorve suas noras), não esperam que ela decida por eles e escolhem princesas estrangeiras, a despeito de seu pouco entusiasmo. Arthur decide-se por uma princesa da Prússia: "Não pude deixar de dizer-lhe", anotou ela em seu diário, "que eu não gostava dos prussianos e que ele deveria ver outras antes de decidir-se, mas ele respondeu que não mudaria de opinião. Então, o que eu podia dizer, senão que sua felicidade era o que contava mais?".[31] Leopold fica noivo também, sem seu acordo prévio, de uma princesa alemã, e anuncia-lhe a novidade por telegrama. "Fiquei bastante perturbada com isso, mas lhe telegrafei minhas felicitações."[32] Alfred, instigado por seu irmão mais velho, o príncipe de Gales, volta-se para a filha única do czar. Aí, as implicações políticas são mais importantes. Vitória está muito reticente e, se acaba por aceitar, é sublinhando bem que se trata de um gesto sem alcance internacional: "Bem sabes", apressou-se ela a escrever à imperatriz da Alemanha, "que essa aliança não me agrada por razões muito sérias. Essencialmente, por seu aspecto religioso e político".[33]

Na última parte de seu reinado, ela fez prevalecer a prudência e o bom senso nos casamentos em sua família, e criticava a estreiteza de visão dos alemães a esse respeito: "Penso que é deplorável que se faça tanta história na Prússia a propósito da posição, e espero, no futuro, que prevaleçam idéias mais razoáveis. Aqui, essas coisas contam pouco".[34] Na verdade, mesmo na Inglaterra, ela está adiantada em relação à nova geração. Em 1889, sua neta, Louise, filha primogênita do príncipe de Gales, desposa Lord Fife. Esse casamento, "muito brilhante de um ponto de vista mundano, pois ele é imensamente rico",[35] a satisfaz, enquanto Mary de Teck, a futura rainha Mary, esposa de George V, surpreende-se: "Para uma futura princesa herdeira, não achais um pouco estranho desposar um súdito?".[36] Essa observação ganha todo o seu sabor quando se pensa no escândalo que provocará o filho dessa mesma princesa, Eduardo VIII, ao desposar uma americana, duas vezes divorciada, Wallis Simpson.

A rainha é a única da família a indignar-se com o casamento de sua neta, Alicky de Hesse, com o czaréviche, Nicolau. Ela não se deixa impressionar pela família. Aliás, como tem o cuidado de observar, esses Romanoff são menos antigos que os Hannover. "Tenho tal antipatia por esse gordo czar [Alexandre III]", escreve ela à irmã da noiva, "para mim ele é uma espécie de Paul asiático, violento, cheio de ódio, de paixão e de tirania."[37] A Rússia, tão estranha e perigosa, causa-lhe horror. "Esse país está tão distante de tudo."[38] E o estado do império "é tão ruim, tão podre que a qualquer momento algo de horrível pode acontecer [...]; a mulher do herdeiro do trono está na posição mais difícil e mais precária [...]. Meu sangue gela à idéia dessa pequena colocada tão jovem em um trono tão pouco seguro [...]. Essa é uma grande ansiedade suplementar que pesa sobre meus últimos anos".[39]

As coisas precipitam-se. Alexandre III morre prematuramente e o casamento de Nicolau e de Alix, que se tornará czarina sob o nome de Alexandra, está avançado: "Que terrível peso de responsabilidade e de inquietação foi posto sobre as pobres crianças! Eu esperava, não sem razões, que eles teriam ainda muitos anos de calma relativa antes de chegar a esse trono espinhoso".[40] Entretanto, ela esforça-se por tirar partido dos laços afetuosos que a unem ao jovem casal;[41] convida-os a Balmoral, mas irrita-se com a inutilidade de suas conversações com Nicolau, que tem a "insipidez da água".[42] Ele, por seu lado, entedia-se e sente-se pouco à vontade na Grã-Bretanha. Envia longas cartas lamurientas à sua mãe, nas quais se queixa da liberdade que lhe dão: "Vovó nos permitiu fazer passeios de carro sem acompanhante! Confesso que não esperava por isso!!".[43] Pior ainda: apresentam-lhe um judeu!!!, e isso na casa de seu tio, o príncipe de Gales, onde ele passara alguns dias: "Os convidados formavam um lote bem esquisito. Muitos vigaristas e, entre eles, um tal barão Hirsch. Os primos, divertidos com essa aproximação, não pararam de me arreliar; eu tentava manter-me o mais afastado possível e não me juntar à conversação [...]. Eles nos deixaram, isto é, Alix e eu, partir sozinhos para Londres; isso me pareceu muito estranho".[44]

No fundo, Vitória o considera incapaz de ser o grande homem de Estado de que a Rússia precisa. E ninguém conta com Alix. Ela é de uma beleza radiante, mas a inteligência não é sua qualidade essencial. Nada resultou da influência de Vicky. Esta, aliás, faz eco às preocupações de sua mãe:

> Nicky[45] é absolutamente contrário a todas as constituições ou a qualquer liberdade para a Rússia — isso eu sei — e jamais desejará outorgar as concessões que o imperador Alexandre II preparava-se para assinar, pouco antes de tombar, vítima das bombas niilistas. As prisões na Sibéria são mais atrozes do que nunca, a polícia igualmente poderosa e as pessoas não têm nenhum recurso — a opressão nas províncias do Báltico continua como sob Alexandre III. Por conseguinte, uma era de paz parece contraditória com a opressão e o sofrimento de uma raça ainda governada pelo despotismo, e isso embora o czar seja o melhor, o mais doce, o mais gentil dos homens — preocupado com o bem-estar de seus súditos —, puro de espírito e nobre de intenções, franco e honesto, e conquiste a afeição de todos os que o conhecem pela simplicidade de suas maneiras, sua modéstia, sua calma e sua expressão tão encantadora.[46]

Vicky exprimia aí quanto era quimérica a esperança de agir sobre os príncipes. Não se podia exportar o ideal liberal pela suave pressão psicológica. O sistema político condicionava as cabeças coroadas e não havia uma idéia política comum entre o príncipe de Gales e seus sobrinhos Nicolau II ou Guilherme II. E mais ainda, o clima tinha influência sobre as Altezas importadas. Comparemos um instante o destino das pequenas princesas de Hesse. A primogênita desposa um Battenberg, um príncipe alemão, mas fixa-se na Inglaterra, onde morre em 1950, aos noventa anos. Ela viveu, portanto, todos os distúrbios sociais que transformaram a Inglaterra aristocrática de sua juventude na democracia "socialista" que conhecemos. Foi preciso mesmo que mudasse de nome durante a Primeira Guerra Mundial, para satisfazer as suscetibilidades nacionais; os Battenberg transformaram-se em Mountbatten. A velha dama engoliu todos esses choques sem reclamar. Vivia de acordo com seu país de adoção. Em compensação, suas irmãs casadas, uma com o mais reacionário dos grão-duques, a outra com o czar, pereceram sem sequer ter compreendido por que o regime fora posto em questão. Viveram cegas, como Maria Antonieta — e Maria Antonieta tinha a desculpa de ter sido a primeira a sofrer as conseqüências da revolução.

Vitória tomara portanto uma decisão judiciosa ao retirar seus filhos mais jovens da arena internacional. Nesse fim de século, os laços familiares contam menos que a simpatia política. O contraste entre os países liberais e os despotismos obriga a fazer escolhas. A rainha Vitória teve a fineza política de nunca se enganar e de jamais causar o menor embaraço diplomático, motivado por afeições familiares, ao seu governo. Assim, por ocasião da visita da frota francesa a Portsmouth, em 1891, ela afastou seu neto, Henrique da Prússia, para não melindrar os franceses; convidou os oficiais para jantar e levantou-se para a *Marselhesa*. "O embaixador da França me diz que foi um dia memorável para os homens [...] e que eles haviam apreciado muito que eu me tenha mantido de pé durante a *Marselhesa*. Eu não lhe disse que isso não me dera um particular prazer!"[47]

Sua filha, Vicky, menos maleável — não está também marcada por seus trinta anos de Prússia? —, escreve-lhe a esse respeito uma carta tão douta quanto veemente: "Estou desolada de que essa horrível *Marselhesa* seja agora o hino nacional da França, pois está associada aos horrores da Revolução e é utilizada pelos socialistas como o símbolo da violência e da loucura de seus princípios de trabalho. Um governo respeitável, como o de uma República favorável à paz e à ordem, não deveria escolher uma melodia manchada por estes gritos: *Às armas, cidadãos, Formai vossos batalhões, Marchemos, marchemos, que um sangue impuro* etc. O que outrora designava o sangue dos reis, dos aristocratas e dos padres visa agora os capitalistas, os burgueses e os judeus".[48]

De fato, as notas falsas se farão ouvir sobretudo do lado da Alemanha. As dificuldades políticas correntes entre o Reich e a Grã-Bretanha não cessarão mais de complicar-se com problemas pessoais. O velho imperador Guilherme I morreu em março de 1888. O imperador Frederico, seu filho e marido de Vicky, chegou enfim ao trono — tinha 56 anos — e estava morrendo de um câncer na garganta. Já não podia falar; não teve forças para acompanhar o enterro do pai e expirou em 15 de junho desse mesmo ano. As esperanças nascidas do casamento de Vicky com Fritz foram então definitivamente aniquiladas. Enquanto o casal se mantivera ao pé do trono, pudera estar a par de tudo e transmitir as informações essenciais a Vitória. Essa troca ajudara seus respectivos governos a manter relações francas e abertas através de todas as vicissitudes. Com a chegada ao trono de Guilherme II, a atmosfera mudou radicalmente. Ele começou por afastar sua mãe com uma brutalidade chocante. Na mesma noite da morte de Frederico, mandou suas tropas cercar o palácio: todos estavam proibidos de sair; os papéis pessoais de todos os ocupantes foram confiscados. Felizmente, Vicky tomara a precaução, alguns meses antes, de mandar pôr sua correspondência a salvo. A partir desse momento, Vicky não tem mais importância nenhuma. Tiram-lhe mesmo a presidência de suas obras de caridade. As cartas entre a mãe e a filha tornam-se então menos políticas do que tragicamente pessoais. A dor, a cólera, o desgosto atormentam uma delas; a vontade de defender a filha, de manter seu neto nos limites da decência, a preocupação de os reconciliar ocupam a outra.

Mas a atitude ofensiva de Guilherme II em relação a seu tio, o príncipe de Gales, envenena a situação. O jovem imperador recusara encontrar-se com o príncipe em Viena, onde ambos estavam. Gesto absurdo e grosseiro, que a rainha não pretende deixar passar. Começa por fazê-lo saber que sua presença na Inglaterra é indesejável, tendo o cuidado de explicar sua posição e a de seu filho a seu ministro, Lord Salisbury:

> Sempre fomos muito íntimos com nosso neto e sobrinho, e sua pretensão de ser tratado, tanto em privado como em público, por "Sua Majestade Imperial" é pura loucura [...]. Se ele conservar suas idéias, faria melhor em nunca mais vir aqui [...]. No que se refere às relações políticas entre os dois países, a Rainha concorda inteiramente em pensar que não deveriam (na medida do possível) ser afetadas por essas miseráveis querelas pessoais, mas a Rainha receia muito que, com um jovem tão arrebatado, pretensioso, cheio de idéias falsas, desprovido de toda sensibilidade, isso corra o risco de tornar-se impossível a qualquer momento.[49]

Ela estava certa, e os incidentes multiplicaram-se. O mais grave ocorreu a propósito de um incidente na África do Sul, onde os ingleses opuseram-se a Kruger, o presidente do Transvaal. Guilherme II sentiu necessidade de enviar um telegrama de felicitações a Kruger. A reação na Inglaterra foi extremamente violenta e contribuiu para alimentar um sentimento antialemão que só fez exacerbar-se. A rainha enviou uma carta de reprimenda ao imperador que era um modelo de tato e de firmeza:

> Castelo de Windsor, 5 de janeiro de 1896.
>
> Meu caro Guilherme [...], enquanto avó a quem sempre demonstraste tanta afeição e cujo exemplo sempre foi considerado por ti com tanto respeito, sinto que não posso deixar de exprimir-te meu profundo pesar pelo telegrama que enviaste ao presidente Kruger. Isso foi considerado, aqui,

como um gesto inamistoso, embora eu esteja certa de que não o entendias assim, e, lamento ter de dizê-lo a ti, isso produziu a impressão mais penosa aqui [...]. Creio que teria sido infinitamente preferível não ter feito absolutamente nada. Nosso grande desejo sempre foi de permanecer nos melhores termos com a Alemanha e tentar agir em acordo com ela, mas receio que teus agentes nas colônias façam precisamente o contrário, o que nos desgosta muito. Deixa-me esperar que tentarás remediar isso [...]. Espero que não leves minhas observações a mal, pois são inteiramente ditadas por meu desejo de te fazer bem [...].

Guilherme II envia-lhe uma carta de desculpas considerada "insuficiente e mal redigida", mas com a qual ela se contenta, sublinhando ao príncipe de Gales que "explicações e observações lacônicas e cortantes não fazem mais que criar irritação e aborrecimentos; os soberanos e os príncipes devem evitá-las com as maiores precauções. Os erros de Guilherme vêm de sua impetuosidade (e de sua pretensão); a calma e a firmeza são as melhores armas nessas circunstâncias". Sempre respeitosa do direito de informação de seu ministro, ela envia a resposta de Guilherme a Lord Salisbury, que aconselha também o apaziguamento: "O imperador alemão sempre teve a mais profunda reverância por Vossa Majestade e seu tom correto e amistoso vem da força desse sentimento [...]. Lord Salisbury aconselharia respeitosamente Vossa Majestade a aceitar plenamente seus explicações sem procurar muito a verdade e a responder-lhe em um tom de inteira confiança em seus protestos de amizade".

Até o fim, Vitória aproveitou sua qualidade de avó para repreender esse moleque de imperador. Em 1899, um desacordo a respeito de Samoa opôs os dois governos e Guilherme II permitiu-se atacar Lord Salisbury. A resposta não se fez esperar: "Tua carta espantou-me extraordinariamente. O tom com que falas de Lord Salisbury é tal que só posso atribuí-lo a uma irritação temporária de tua parte [...]. Desconfio que nunca um soberano tenha escrito a um outro soberano — e se trata de tua própria avó — em semelhante tom, a propósito de seu primeiro-ministro. Eu jamais teria feito semelhante coisa e jamais ataquei pessoalmente — nem sequer me queixei dele alguma vez — o príncipe Bismarck, embora sempre tivesse sabido que era decididamente contrário à Grã-Bretanha e nos tenha feito muito mal".[50] No entanto, por mais confiança que tenha tido em sua autoridade, a rainha Vitória não tinha nenhuma ilusão quanto às possibilidades de uma paz a longo prazo com a Alemanha. Em 1896, ela escrevia a seu ministro: "As questões são tão diferentes agora que a Rainha não pode deixar de pensar que nosso isolamento é perigoso".[51] Dois anos mais tarde, ela chega mesmo a sonhar com uma aliança com a Rússia: "Creio que é mais desejável tentar permanecer nos melhores termos com a Rússia, é o único meio de conter a Alemanha [...]. A Alemanha se conduz muito mal [...]".[52] Uma última vez, ela tenta usar sua autoridade familiar para sanar a situação internacional, escrevendo diretamente ao czar:

> Penso que é meu dever escrever-te para te dizer algo que deverias saber e que talvez ignores. É, estou desolada de dizê-lo a ti que Guilherme agarra todas as oportunidades para inculcar em Sir F. Lascelles [o embaixador da Grã-Bretanha em Berlim] a idéia de que a Rússia faz todo o possível para trabalhar contra nós; que oferece sua aliança a outros poderes e que concluiu uma com o Emir do Afeganistão contra nós.
>
> Não preciso dizer-te que não creio em uma palavra de tudo isso, e Lord Salisbury e Sir F. Lascelles estão de acordo comigo. Mas receio que Guilherme vá repetir-te coisas caluniosas contra nós como as relata a nós contra ti. Se for esse o caso, peço-te que me digas com toda a franqueza. É importante que o compreendamos e que trâmites falsos e perniciosos sejam brecados. Tu mesmo és tão leal que estou certa de que esses procedimentos te chocarão.[53]

Carta pungente, no sentido de que marca uma última tentativa para conservar relações humanas e pessoais no jogo político cada vez mais brutal. A própria rainha tinha poucas ilusões sobre a eficácia de seus esforços. Repetira com freqüência a seu filho, sempre desejoso de servir de embaixador extraordinário e levando muito a sério seu papel familiar na Europa, que a cordialidade entre os diferentes membros das famílias reinantes não garantia a melhora das relações entre os governos dos povos. Mais ainda, sua experiência a levava a crer, sobretudo depois da chegada ao trono de Guilherme II, que as disputas individuais tendiam a repercutir em escala maior e que, por conseguinte, a familiaridade gerava mais perigos que vantagens.

No fim de sua vida, a rainha, comovida pelas marcas de confiança e de respeito que lhe são dirigidas por seu povo por ocasião de seu jubileu, toma consciência de que sua força provém diretamente de seu país e não de suas relações européias. Daí em diante, os dias do clube das Altezas estão contados. Em breve seu neto George v abandonará seu nome de família, Hannover, para adotar um patronímico mais inglês, o de Windsor. A rainha Vitória preparara bem o terreno.

# 8

# A GRANDE RAINHA BRANCA

*O mais longo reinado da história — Pobres bons e ricos maus — Mr. Gladstone, o terrível velho — Encanto indizível de Dizzy — Contradições femininas — Vitorioso símbolo*

A rainha nunca foi tão popular quanto no fim de sua vida. Nenhuma nota falsa perturbou a celebração de seus jubileus, marcando o qüinquagésimo e o sexagésimo aniversário de seu reinado, o mais longo e mais pacífico da história da Inglaterra. Diante das aclamações gerais, ela teve a impressão de que afinal se apreciavam, em sua justa medida, sua coragem e seu labor. Mesmo um radical como Chamberlain escreveu nessa ocasião: "A rainha intervém constantemente [...] mas não é certo que essas intervenções sejam inconstitucionais e seria completamente impossível prová-lo [...]. A rainha é uma mulher de grande capacidade [...] e sua imensa experiência justifica suas ações".[1]

Vitória soube mostrar quanto as reações populares a haviam comovido. Essa mulher que, desde 1861, só se mostrara em público com desgosto, obstinando-se em manter uma aparência rígida e contraída, enfim se entregou, ó maravilha, ao sorriso.

Depois das cerimônias do jubileu de ouro, ela escreveu a Lord Rosebery para falar-lhe de "sua emoção profunda e imensa"; acrescentou que a calorosa recepção recompensava "cinqüenta anos de trabalho duro, de ansiedade e de preocupação". Dez anos mais tarde, é o jubileu de diamante. "Creio que ninguém", anota ela em seu diário, "jamais teve semelhante ovação [...]. As multidões eram indescritíveis e seu entusiasmo, realmente maravilhoso e comovente. As aclamações ensurdecedoras, e todos os rostos pareciam cheios de uma alegria sincera. Fiquei comovida e grata."[2]

Ela teria podido anotar também seu orgulho de um trabalho bem-feito; pois seu caráter e sua personalidade haviam contribuído indubitavelmente para transformar e reforçar a significação da monarquia. Vitória não apenas se mantivera durante um século freqüentemente conturbado, mas também conseguira impor a força moral e a dignidade da corte, que outrora haviam sido tão caras ao coração de Albert. O povo apreciava que sua vida se tivesse passado na austeridade e não nos prazeres. Podia-se criticar sua reclusão; não se podia pôr em dúvida sua devoção à sua tarefa. Ela personificava as virtudes mais admiradas de sua época, se não as mais atraentes. "A realeza resistiu bem na Inglaterra", considerou o *Times* em um artigo necrológico consagrado a Vitória, "graças ao desinteresse absoluto da rainha e à sua retidão inatacável." Em outras palavras, antes de Vitória a monarquia mantivera-se por necessidade institucional, a despeito do caráter detestável dos reis. Depois de Vitória, o soberano justifica a instituição. À morte de seu tio George IV, podia-se ler nesse mesmo *Times* que "nunca um personagem foi menos lamentado por seus contemporâneos do que o rei. Nenhuma lágrima foi derramada por ele". O desaparecimento de Guilherme IV, sete anos mais tarde, não foi saudado com mais emoção: "Embora por vezes jovial, e honesto para um rei, ele era fraco, ignorante e bastante vulgar [...]. Apesar da fraqueza de sua conduta e de sua mesquinhez de espírito, sua ignorância e seus preconceitos, Guilherme IV foi até o fim um soberano popular, mas sua popularidade mesma era conseguida à custa de certo desprezo geral".

Vitória vai conseguir reverter completamente a tendência. O povo manifestará seu apego menos à instituição que à pessoa do soberano. Essa evolução não foi imediata. Foi depois de 1870, mais precisamente depois da cura inesperada do príncipe de Gales, que, como o pai, quase morreu de uma crise de tifóide, que se sentiu no país o nascimento de um sentimento mais pessoal pela rainha e por sua família. Um novo tipo de autoridade real desenvolveu-se então, não mais baseado em prerrogativas constitucionais ou em uma atividade política, mas na ascendência moral e em uma necessidade psicológica das multidões, que tinham prazer em aplaudir o símbolo vivo de sua grandeza. Os presentes anônimos que se derramaram sobre o palácio de Buckingham por ocasião dos jubileus são uma indicação desse fervor popular. Em seu casamento, a rainha não recebera um único presente do povo. Talvez involuntariamente, a gorda pequena dama enlutada tornara-se "the Great White Queen", a grande rainha branca.

Essa sublimação não impediu o estabelecimento de uma relação real, mas singular, entre a rainha e essa entidade misteriosa chamada classe média. Como explicar a osmose que se produziu entre a soberana e alguns de seus súditos, osmose sublinhada por Lord Salisbury em uma última homenagem prestada a Vitória: "Sempre me pareceu que, quando eu sabia o que pensava a rainha, sabia de maneira relativamente segura a visão que teriam seus súditos e, mais em particular, a classe média". Nada teria dado mais prazer a Vitória do que esse julgamento póstumo, pois ela jamais quis ser assimilada às classes aristocráticas.

"As classes elevadas", escrevia ela à sua filha,

> e particularmente a aristocracia (evidentemente com algumas exceções honrosas) são tão frívolas, tão apegadas aos seus prazeres, tão pouco compassivas, tão egoístas, imorais e folgazãs que evocam [...] os dias que precederam a Revolução francesa. Os jovens são tão mimados, as mulheres jovens tão emancipadas, tão frívolas, tão imprudentes que o perigo é realmente muito grande. É preciso adverti-los. As classes inferiores estão se tornando tão bem informadas, tão inteligentes e ganham seu pão e suas riquezas tão honestamente que não podem e não devem ser mantidas atrás para o prazer de tristes indivíduos ignorantes e bem-nascidos, que vivem apenas para matar o tempo. É preciso adverti-los e amedrontá-los, ou alguma pavorosa catástrofe ocorrerá. Eu faço e farei tudo o que posso — mas Bertie deveria dar o bom exemplo nesse domínio, nem sequer olhando esses horríveis personagens.[3]

Bertie não é o único a preocupá-la. Ela ficara exasperada com a altivez de seus netos prussianos com os "inferiores". A jovem Charlotte, filha primogênita de Vicky, recusara-se a apertar a mão do querido John Brown: "Mamãe", explicara ela, "não quer que eu seja muito familiar com os criados". A rainha tomou a pena e, elevando o debate, preveniu sua filha contra os perigos de uma educação muito aduladora. "Não temais", respondeu Vicky, "que a educação de Guilherme corra o risco de torná-lo orgulhoso e desdenhoso. Seus companheiros são escolhidos sem levar em conta sua posição ou sua família, e o contínuo contato que nossos príncipes têm com os soldados — e não existe instituição mais democrática que nosso exército — guarda-os de ignorar as necessidades e os interesses das classes inferiores."[4] Resposta estúpida aos olhos da rainha: "A simples aproximação não serve para nada desse ponto de vista e tem mesmo o efeito contrário. Pois os soldados são obrigados à obediência e não se pode esperar encontrar a menor independência entre esses homens".[5] E, prosseguindo, ela expunha sua visão, levemente condessa de Ségur, das realidades sociais:

> O que quero dizer [...] é que os príncipes e as princesas devem ser profundamente bons e compassivos e não deveriam ter o sentimento de que são diferentes, por sua carne e seu sangue, dos pobres — os camponeses, as classes operárias, os criados —, e que devem ir até eles [...]. Eis o que quero dizer e mantenho que isso é essencial para um príncipe ou uma princesa de nosso tempo. Quando se consideram as classes elevadas, a maneira pela qual seus pecados e sua imoralidade são ignorados, encorajados ou perdoados — enquanto as classes inferiores são severamente punidas pelo menor pecadilho, isso basta para favorecer ressentimento e sentimento democrático [...]. É uma prova terrivelmente dura ser príncipe. Ninguém tem coragem de dizer-vos a verdade. Ninguém vos habitua a esses atritos e a esses golpes que são tão necessários aos meninos e aos rapazes.[6]

Da mesma maneira que Vitória não concebia que se pudesse recusar a igualdade aos hindus em razão da cor de sua pele, recusava conceder privilégios inalienáveis à nobreza: "A divisão das classes é a coisa mais perigosa e mais repreensível, contrária à lei da natureza; a Rainha trabalha incansavelmente para suprimi-la". Ela trabalhava nisso apenas no domínio das nomeações de corte, mas era o bastante para garantir sua boa consciência.

A chave do contentamento consigo própria reside no fato de que acredita conhecer seu povo. Seu povo não é a multidão dos desempregados esfaimados que por vezes leva a audácia a ponto de manifestar-se "em uma monstruosa rebelião [...], triunfo efêmero do socialismo, desonrando a capital".[7] Não, seu povo são os gentis camponeses de Balmoral, que ela gosta de visitar em sua choupana bem-cuidada; são esses fiéis servidores com os quais é tão amável e cuja morte é sempre anotada com emoção em seu diário. Ela sente-se aberta às necessidades desses bons pobres. Os pobres literários e merecedores a comovem. À morte de Charles Dickens, ela anota com aprovação sua "extrema simpatia pelas classes mais pobres. Ele tinha a certeza de que uma maior compreensão e uma maior união entre as classes ocorreriam no futuro. É também meu desejo mais ardente".[8] Mas procurar-se-ia em vão, na massa dos diários e das cartas da rainha, uma menção precisa, uma pergunta urgente sobre as abomináveis condições em que viviam os trabalhadores de seu reino. Falta de imaginação? Falta de curiosidade ou ausência de informações? A verdade é que Albert foi o único e o último da família real a inquietar-se pessoalmente com a sorte das verdadeiras classes inferiores. Vitória contenta-se com algumas propostas que cheiram um pouco a dama de caridade: "Não aprovo, não gosto de nossos domingos horrivelmente aborrecidos, pois creio que a ausência de toda distração inocente para as pessoas pobres é uma infelicidade e um encorajamento ao vício".[9] Ela dá testemunho ainda de sua preocupação com as classes modestas a propósito da freqüência dos acidentes de estrada de ferro: "Em nenhum país, a não ser no nosso, há tantos terríveis acidentes e é monstruoso que os pobres, obrigados a tomar o trem constantemente, sem poder pagar a relativa segurança dos compartimentos de primeira classe, sejam expostos perpetuamente ao risco de perder a vida".[10]

A Gladstone dirigem-se estas observações sobre uma proposta de taxação da cerveja: "A rainha lamenta a taxa sobre a cerveja pois os pobres nunca bebem vinho e sentirão profundamente a perda da cerveja. As classes ricas bebem vinho e, não sendo contidas por nada no que se refere ao seu luxo, podem permitir-se facilmente pagar por seu vinho. Mas os pobres não podem pagar uma taxa suplementar sobre o que, em muitos casos, constitui sua única bebida".[11]

Não se podem ver aí preocupações realmente socialistas. Os memorandos de Vitória sobre a proteção dos animais são muito mais precisos e explícitos. Seus "pobres, queridos amigos, os cães", vítimas da maldade humana, certamente lhe importavam mais que os pequenos operários das fiações, sujeitos a patrões implacáveis. Ela impôs uma regulamentação da vivissecção. Segundo Disraeli, seus argumentos não valiam um tostão furado, mas "ela insistira". E, quando acompanhava um dossiê, geralmente tinha ganho de causa.

O verdadeiro defensor do trabalhador britânico era seu velho inimigo, Gladstone. A campanha "socialista" que ele conduziu para obter a extensão do direito de voto não foi do gosto da rainha, que o repreendeu pelo tom e pela forma de seus discursos. Ela inspirou uma resposta que recolocaria as coisas em seu lugar: "Houve por bem Vossa Majestade lamentar o protesto repetido de Mr. Gladstone contra as classes ricas e educadas do país [...]. Ele se permite observar que, durante uma longa série de anos, sobre todas as questões baseadas em amplas considerações de humanidade e de justiça, a riqueza, a posição e a condição sempre estiveram erradas e as massas tiveram razão". Vitória não se importa com todos esses raciocínios. Como muitos outros britânicos, assustados com a evolução galopante do século, ela não gosta da mudança e não deixa ninguém abalar sua boa consciência. "Sempre fui liberal", dizia ela na velhice e, se se insurge contra "os atrozes direitos de sucessão [...] cujo princípio é tão falso e cujos efeitos serão tão desastrosos", é que "isso recairá sobre os pobres, pois não se poderão mais manter as boas obras."[12]

Essa cegueira explica-se pela simplicidade de sua análise da sociedade. Para ela, o mundo dividia-se em *upper* e *lower*. Os *upper* ou classes superiores não trabalhavam para viver, contrariamente aos "inferiores". De seu ponto de vista de Sírio, ela não distinguia a *middle class*, classe vitoriana por excelência, nascida do prodigioso desenvolvimento econômico do século XIX. Portanto, sem o menor discernimento, ela enfiava nos "inferiores" tanto os domésticos, os artesãos, os camponeses e os operários quanto os intelectuais, os médicos e os advogados. Assim, para ela, Disraeli, filho de um crítico literário bem estabelecido, era um homem do povo: "Mr. Disraeli é primeiro-ministro. Bela coisa para um homem 'saído do povo'! E, devo dizer, obtida da maneira mais justificada; seu real talento, suas boas disposições e a maneira pela qual conduziu o Reform Bill, no ano passado, acarretaram seu sucesso".[13] Vicky, quanto a isso, está de acordo com sua mãe: "Ainda que Mr. Disraeli seja judeu e um aventureiro, é absurdo ter um preconceito aristocrático contra ele. Uma pessoa que se elevou a esse nível por suas próprias capacidades tem tantos direitos quanto uma outra de ser primeiro-ministro".[14] Mãe e filha gostavam de sentir-se assim dadivosas com todos os seus súditos, talvez sem se dar conta de que essa alta benevolência já não era indispensável à felicidade deles nem ao seu avanço...

No entanto, as manifestações de afeição que lhe prodigalizava o povo miúdo encorajavam a rainha nesse caminho. De fato, ela apresentava uma imagem tão burguesa que, paradoxalmente, tornou-se uma espécie de encarnação dessas mulheres da classe média que conhecia tão mal. A inflexão que soube dar às suas desventuras, sua aparência física, sua falta de elegância — mesmo no dia do Jubileu, recusou-se a trocar sua eterna casquete por uma tiara mais real — facilitavam a transferência. Os álbuns de fotografias da época estão cheios dessas gordas damas vestidas de preto, um pouco carrancudas — a rainha, que ria muito na vida, não sorria nunca diante de uma objetiva — e imbuídas de respeitabilidade: outras tantas Vitórias. H. G. Wells, descrevendo sua mãe, sublinhava esse aspecto: "Em seus últimos anos, com sua casquete preta e seu vestido de seda preto, minha mãe evocava curiosamente a viúva suprema".[15]

As súditas, esmagadas muitas vezes pela dureza da existência, procuravam não apenas imitar Vitória como também demonstrar-lhe sua afeição. Corriam para aplaudir-lhe a passagem, sem pensar no que ela lhes custava. Esquecidos os palácios e os dotes das princesas, e os séquitos colossais. Todos os anos a rainha passava um mês no Sul da França. Partia com cem pessoas. Quando lhe observaram respeitosamente que essas viagens tornavam-se muito onerosas e que seria judicioso reduzir seu séquito, ela pediu a lista dos eleitos, examinou-a cuidadosamente e a devolveu garantindo que cada uma daquelas cem pessoas lhe era absolutamente indispensável. "Quanto a mim", confessava Wells,

> no endurecimento de meu coração de rapaz, estava farto da querida Rainha; senti um invejoso ódio pela abundância de seus trajes, a munificência dos palácios e todas as liberdades de seus filhos, e, mais intensamente ainda, invejava meus contemporâneos, seus netos. Por que, afinal, minha mãe ocupava-se tanto com eles? Minha desvantagem não era bastante grande sem que eu tivesse de respeitá-los por ordem mesmo de minha mãe? [...]. Ah! aquelas expedições heróicas e fatigantes a diferentes esquinas ou outros panoramas abarrotados, em Windsor ou em Chiselhurst [onde a imperatriz Eugênia vivia em exílio], onde se tinha alguma possibilidade de ver passar a querida Rainha.

Mas, em 1890, H. G. Wells era um jovem raivoso pouco representativo de sua época e cujas veleidades revolucionárias permaneciam sem eco. Os movimentos antimonárquicos da década de 1860, que tanto haviam preocupado Gladstone, tinham se dissipado, e o prestígio da velha dama, isolada, aparentemente impermeável às transformações do século, crescia. Ela não podia opor-se às mudanças trazidas pelo progresso e, paralelamente, seu imobilismo tinha virtudes tranqüilizadoras. Ela destilava certa segurança psicológica. Tinha, portanto, muitas cartas na manga.

Em um ponto preciso da evolução social, sua recusa de inovar pesou muito: ela lutou com uma paixão ilógica e injusta contra todos os movimentos feministas. Ora, a própria presença de uma mulher no trono contribuíra para uma tomada de consciência feminista. Citemos mais uma vez H. G. Wells:

> Parecia-me inteiramente evidente, segundo o que me contou minha mãe, que, entre as professoras e esse gênero de mulher, houve um movimento de emancipação associado à candidatura, finalmente aceita, da princesa Vitória [...] à sucessão de Guilherme IV [...]. Minha mãe acompanhava o desenvolvimento da vida de Vitória, suas ações, suas declarações, suas viagens, seus partos, sua grande desgraça e seus outros lutos com uma lealdade apaixonada. A rainha, uma pequena mulher como ela, era, de fato, a personalidade compensatória de minha mãe, seu consolo imaginário para todas as privações e provas reservadas ao seu sexo, sua maternidade e todas as incessantes dificuldades que a vida lhe impunha. A querida rainha podia comandar o súdito seu marido, e diante dela o imponente Mr. Gladstone tinha de inclinar-se com respeito.

Algumas mulheres não se contentavam em sonhar, como a sra. Wells. Para grande estupefação de sua soberana, elas começavam a exigir seus direitos, e, imagino que igualmente para grande surpresa delas, a rainha recusou-lhes com violência o menor apoio. A influência de um monarca constitucional é sempre difícil de abarcar, precisamente porque deixa poucos vestígios. No debate sobre o feminismo, a rainha teria podido facilmente ter uma ação determinante, pois dispunha de argumentos inatacáveis. Ora, não apenas não os usou, como também lutou com todas as suas forças contra as primeiras sufragistas. Sua concepção do papel da mulher não leva em nenhuma conta a sua situação pessoal, e essa contradição essencial não parece incomodá-la.

Mais precisamente, ela não se faz nenhuma pergunta sobre a legitimidade de sua própria situação. Mais um testemunho da espantosa segurança vitoriana! Acontece de ela ser a rainha; ela sabe disso e o assume. Considera-se também como o chefe da família no sentido amplo. À morte do tio Leopold, ela toma muito naturalmente a direção de toda a família inglesa e européia. Seus filhos devem curvar-se à sua autoridade, como seu jovem marido tivera de submeter-se no começo do casamento. Ela faz pé firme com seus ministros, com os ministros dos outros. Depois de uma entrevista com ela, Bismarck saiu do salão de audiência enxugando a testa: "Que mulher", disse ele, não sem admiração. No entanto, ela se irrita furiosamente com as reivindicações femininas. Gosta muito de queixar-se dos tratamentos que os homens "impõem a nós outras, pobres mulheres" — pergunta-se o que teria em mente —, mas recusa com a mais feroz energia fazer o que quer que seja para melhorar sua sorte, "tendo a maior aversão pelo suposto Direito das Mulheres".[16] Lady Amberly pronuncia um discurso em favor do direito de voto das mulheres. "Ela deveria ser chicoteada", indigna-se a rainha, com uma violência tão incompreensível quanto inquietante. "Ela está particularmente desejosa", esclarece ela, "de que se saiba que não só desaprova como também abomina todas as tentativas feitas para destruir todos os sentimentos de decência e de feminidade que serão inevitavelmente o resultado das propostas [dos parlamentares que tendem a outorgar às mulheres seus direitos cívicos]. A rainha é ela própria uma mulher e sabe que anomalia constitui sua própria posição e por que imenso e difícil esforço consegue não ir contra a razão e a decência."[17]

Os movimentos feministas não se limitam a exigir o direito de voto; algumas mulheres desejariam também poder exercer uma profissão nobre, estudar medicina, por exemplo, sem para isso ser obrigadas a ir para os Estados Unidos. Ambição tanto mais razoável porque, mais de quinze anos antes, Florence Nightingale reorganizara praticamente sozinha os serviços sanitários do exército britânico na Criméia, provando assim a eficácia das mulheres, não apenas como dispensadoras de cuidados mas também como administradoras. Mais uma vez aí, nenhum apoio a esperar da rainha, que qualifica de

> demente e completamente desmoralizante o movimento atual que tende a abrir as profissões, e mais particularmente a medicina, às mulheres [...], a derrubar todas as barreiras que cercam a mulher e a sugerir que mulheres e homens possam estudar juntos assuntos que não deveriam ser mencionados diante delas e sobretudo quando se encontram em uma sociedade mista: seria introduzir um desprezo total por tudo o que deve ser considerado como regra e princípio de moralidade [...]. Que a mulher permaneça o que Deus queria que fosse: um apoio para o homem, com deveres e uma vocação completamente diferentes.[17]

Ao mesmo tempo, ela leva o absurdo a ponto de não ser favorável ao casamento a qualquer preço. É muito preferível ser celibatária a ser malcasada. Certamente, mas o que se faz então com as moças que escolhem permanecer solitárias?

Eis nossa Vitória em seu pior: ilógica, limitada, exasperante. De fato, suas teorias aplicavam-se a todas as mulheres, menos a ela. De resto, suas filhas, Vicky e Alice, que desempenhavam o papel mais apagado de esposa do príncipe e não de soberana reinante, eram, se não militantes, pelo menos muito preocupadas com as questões feministas. Ambas, por exemplo, organizaram escolas profissionais para moças. Uma querela explodiu a esse respeito entre Vitória e Alice. Esta última pusera-se a estudar anatomia porque queria completar sua educação de enfermeira: "Iniciativa revoltante", trovejou Mamãe. A filha, protegida pela distância, perseverou.

Desempenhando muito bem o papel da mulher que, precisamente usando a "fraqueza" de seu sexo, é bem-sucedida num mundo masculino, Vitória não fazia questão de abrir-lhe as portas às suas irmãs. Gostava de ser tratada como mulher, isto é, com doçura, amabilidade e polidez, sem abandonar por isso a menor de suas prerrogativas de soberana. Bem ao contrário, tinha uma tendência, que alguns consideravam descabida, de tomar ao pé da letra as fórmulas de polidez em uso. A rainha dignar-se-á a nomear esta ou aquela pessoa? No espírito de seus ministros, ela não tinha de dignar-se, tinha de curvar-se às decisões deles. Vitória considerava que era uma questão de seu direito, se não de seu dever, discutir toda nomeação feita em seu nome. Não ultrapassava seus direitos constitucionais, mas fazia seu governo perder um tempo precioso. Era irritante para homens muitas vezes premidos pelos acontecimentos não poderem expressar-se francamente, mas serem obrigados a usar circunlóquios a fim de não se chocarem frontalmente com uma velha dama obstinada, a quem se devia respeito. "A rainha mataria um homem sozinha", confessara tristemente Gladstone a Lord Rosebery.

O afastamento físico da rainha constituía um outro motivo de atrito perpétuo. Ela passava quatro meses por ano na Escócia, quatro meses em Osborne, na ilha de Wight, um mês no Sul da França e apenas o resto do tempo em Windsor. Nunca permanecia em Londres. Isso atrasava consideravelmente a expedição das questões públicas. Um ministro em exercício — ou, antes, paralisado — devia sempre estar junto da rainha. "Dirigir o governo a seiscentas milhas da capital", gemia Disraeli por ocasião de uma estada em Balmoral, "exige duas vezes mais trabalho." Às tímidas repreensões de seus ministros, a rainha respondia alegando, com energia, sua fraqueza, sua má saúde, o estado frágil de seus nervos. Desculpas de mulher, que desconcertavam os senhores. "Como o esposo bem-amado da rainha foi morto?", perguntou ela a Gladstone, que queria forçá-la a sair de seu retiro, "de um excesso de trabalho e de preocupação, [...] e a rainha, uma mulher que não está mais na primeira juventude, deveria resistir a tudo. É justo que a exasperem? Que se abuse dela até que seus nervos e sua saúde cedam à preocupação, à agitação e à constante intrusão em sua vida privada?"[18]

Como insistir, nessas condições? A rainha ganhava todas as vezes. Ninguém compreendeu seu jogo melhor do que Disraeli; ninguém se recusou a ele mais energicamente que Gladstone. A história de suas relações com seus dois principais ministros ilustra perfeitamente esse mecanismo.

A priori, poder-se-ia acreditar que ela teria se entendido melhor com o virtuoso Mr. Gladstone (em seu tempo, ele ganhara a consideração do querido Albert) do que com Disraeli, esse excêntrico, que, sempre segundo Albert, "não tinha o menor elemento do cavalheiro em seu caráter". No entanto, este último tornou-se seu apoio e seu amigo, sempre recebido com grandes sorrisos, muitas vezes convidado, a despeito da etiqueta, a sentar-se em sua presença, enquanto o digno Mr.

Gladstone era tratado de velho nervoso, de fanático perigoso, de grotesco personagem, e nem sequer teve o consolo póstumo de uma carta de condolências conveniente à sua viúva. "Como posso escrever-lhe que estou triste quando não estou?", respondeu Vitória à sua filha que a incitava a enviar uma palavra a Mrs. Gladstone.

O que se passara? A antipatia não fora imediata, mas a rainha logo ficou desconcertada com a falta de clareza e de concisão de Gladstone; precisava pedir a seu secretário particular que lhe "traduzisse" seus relatórios. Sua imperturbável seriedade e sua rigidez tornaram-se cada vez mais pesadas para Vitória. Ela sofria ainda mais com essa ausência de calor pessoal porque o fato de não compreender bem os objetivos de Gladstone a punha numa situação de inferioridade intelectual. Ora, Vitória nunca fora muito segura de si nesse plano. Sempre precisara de explicações simples, como aconselhara Melbourne a Albert. Diante de Gladstone, sentia-se perdida. O círculo do ministro percebia bem os perigos da situação. Sua mulher escrevia-lhe, já em outubro de 1862: "Contrariamente aos teus hábitos, sê gentil com a rainha e, por uma vez, meu pobre velho, tem confiança em ti".[19] Um outro de seus amigos, o decano Wellesley, lhe aconselhava a mesma linha de conduta: "Não podeis demonstrar-lhe suficiente atenção, suficiente doçura, eu diria mesmo ternura".[20] Infelizmente para ele, Gladstone nunca aprendeu a maneira. De fato, transferia para Vitória todo o respeito, toda a veneração que lhe inspirava a monarquia. Ela não pedia tanto. Queixou-se um dia de que ele lhe falava como em uma reunião pública. Ela sabia bem que representava uma instituição, mas queria ser tratada como mulher, e isso Disraeli compreendeu melhor do que ninguém.

Contrariamente a seu rival, Disraeli não teria podido fazer carreira sem o apoio de sua mulher e de suas amigas. Sua esposa, doze anos mais velha que ele, dera-lhe as condições indispensáveis a uma vida política. Em 1863, ele herdara 30 mil libras de uma admiradora, Mrs. Brydges Willyams. Depois da morte de sua mulher, a amizade, a confiança e a proteção de duas irmãs, Lady Chesterfield e Lady Bradford, tornaram-se-lhe indispensáveis. Todas essas damas tinham em comum o peso dos anos. "As damas de Dizzy", zombava o embaixador da Rússia, "são todas avós." Ele teria podido acrescentar: "E todas viúvas". Sua apoteose nesse domínio foi a sedução da rainha.

Ele começou por desmentir as reservas do pobre Albert enviando, depois de sua morte, uma carta de condolências a Vitória tão sentida, tão bem redigida que a rainha decretou que Mr. Disraeli "era a única pessoa que apreciara o príncipe". Bom começo. Durante seu primeiro ministério, ele teve o cuidado de estabelecer com ela uma relação inteiramente pessoal. Nada de exposições pesadas, mas cartas divertidas sobre a situação política, no limite da indiscrição quando lhe revelava as diferenças de posição dos diferentes ministros. Novamente, ela tinha a impressão de compreender, "de estar a par de tudo". Nunca lhe haviam escrito de maneira tão encantadora, afirmava ela a seu círculo, um pouco irritado com a untuosidade de Dizzy. Ela se divertia, o que não lhe acontecia havia muito tempo. Disraeli tinha algo de Melbourne, a mesma maneira de facilitar-lhe a vida, de encorajá-la, de a fazer rir à custa dos outros. Ela sempre preferira a animação às conversações contraídas, mas infelizmente seu círculo, geralmente paralisado pelo receio de ir longe demais, patinhava nas banalidades e perdia toda espontaneidade.

Disraeli compreendeu isso muito bem. Enviou-lhe seus romances e tratou-a como colega: ela também não publicara memórias? "Nós outros, escritores", lhe dizia ele. Ela mandava-lhe buquês de flores, colhidas por suas próprias mãos. O tom de adulação poética que ele usava para agradecer-lhe a encantava: "Estas primaveras", não hesitou ele em escrever, "não são encantadas? Não são um dom da fada, vindas de uma outra soberana? A rainha Titânia colhia flores, em sua corte, em uma ilha de doçura, no meio dos mares, e essas flores enfeitiçavam os que as recebiam". Nenhum pudor o detinha quando fazia sua corte. "Sim, sou um adulador", confessava ele, "todo mundo gosta de receber elogios, e quando se trata com a realeza é preciso distribuí-los generosamente."

Ele compreendera perfeitamente as contradições do caráter de Vitória, que conseguia conciliar sua arrogância pessoal com seu orgulho de monarca constitucional, seus impulsos românticos com sua rigidez, sua preocupação de respeitabilidade com seu gosto pelo exótico e pelo colorido: Vitória nunca aceitara receber uma mulher divorciada, mesmo vítima de um marido libertino, mas defendia abertamente uma pequena princesa de Mecklemburg-Strelitz que foi engravidada por um lacaio. Mais ainda, Disraeli aceitava que a rainha não fosse bastante sutil para apreender o que seu poder tinha de abstrato. Sempre se reprovara Vitória, e com justa razão, por manter contatos estreitos com os ministros depostos. Sua correspondência com Melbourne durante o ministério Peel, com Disraeli sob Gladstone, era propriamente inconstitucional, mas, explicava ela, "não podia deixar de sentir-se culpada de desonestidade ao dar subitamente sua confiança a pessoas que, até o momento, opunham-se aos que a haviam tido até então". Ela não conseguia dividir-se em duas, o que era precisamente o esperado dela.

Disraeli não tentou lutar contra esse traço fundamental do caráter de Vitória. Bem ao contrário, confundiu tão bem a mulher e a rainha, personalizando sua política, que acendeu seu interesse pela coisa pública. Assim, quando comprou as ações do canal de Suez, anunciou-lha nestes termos: "Vós o tendes, senhora, ele é vosso...".

Que diferença do ministério Gladstone, no qual lhe haviam censurado ter felicitado pessoalmente um general! Ela não dissimulara na época sua indignação: "A rainha sempre telegrafou diretamente a seus generais e continuará a fazê-lo, pois eles o apreciam muito mais que uma simples mensagem oficial [...]. A rainha tem o direito de telegrafar suas felicitações ou de fazer perguntas a quem quer que seja e não admite que lhe ditem sua conduta. Ela não quer ser uma máquina".

Com Disraeli, ela sente-se voltar a ser a uma só vez útil e poderosa. Ele tem a sabedoria de nunca a contrariar frontalmente: "Eu jamais recuso", dizia ele, "jamais contradigo, por vezes esqueço". Ela recupera confiança em si, talvez demais. Força-o a obter para ela o título de imperatriz das Índias. Disraeli não recua diante de nada para a obrigar a sair de seu retiro e, assim, dar novamente um conteúdo simbólico ao trono. Seus métodos assustam um pouco seus colegas: "Não há um risco", perguntou-lhe Lord Derby, "em encorajar a rainha a conceber uma idéia grande demais de seu poder pessoal e uma imensa indiferença ao que o público espera dela?". Mas Disraeli continua seu jogo, aparentemente perigoso, e ganha, fazendo muito para assegurar à realeza seu lugar atual.

Gladstone não conseguia obter de Vitória que ela desempenhasse suas funções públicas. Ela se recusava mesmo a abrir as sessões do Parlamento. Invocando suas doenças, suas enxaquecas, suas vertigens, que Gladstone recusava-se a levar a sério mas que, no entanto, bloqueavam o bom funcionamento da monarquia. Para Disraeli, o problema não existia: "Se Vossa Majestade cai doente", a previne ele durante uma crise política, "eu com certeza cairei. Tudo, realmente, repousa em Vossa Majestade". Nessas condições, bem evidentemente, ela permanecia sólida no posto e fazia o impossível para apoiar seu ministro.

Ela voltou, então, a exercer seu ofício, a sair e mesmo a se divertir. Em Balmoral, em 1890, dançou a quadrilha com seu neto Eddy e saiu-se muito bem, como teve o cuidado de anotar na mesma noite. Recomeça a fazer e a escutar música, o que não fizera mais depois da morte de Albert. Paderewski, "pálido, com uma espécie de auréola de cabelos dourados", vem tocar para ela. O jovem Pablo Casals foi igualmente convidado. A Comédie-Française fez uma apresentação em Windsor por ocasião de uma turnê na Inglaterra. A rainha teve tanto prazer nisso que decidiu mandar vir a Ópera de Londres. A trupe inteira, com os figurinos e os cenários, tomou um trem especial e apresentou-se no grande salão transformado em teatro. Como presente de aniversário, seus filhos organizaram-lhe assim uma representação do *Trouvère*. Em 1892 ela viu *Carmen*, da qual conhecia a música mas não o enredo. Como tinha dificuldade em acompanhá-la, pediu explicações a uma de suas netas, que lhe revelou, corando, as aventuras de Carmen: "Vovó, deliciosamente escandalizada, escondeu o rosto com o leque e soprou-me: 'Mas, minha querida filha, temo que essa Carmen não seja uma pessoa muito gentil'. Ela estava encantada".[21]

O país apreciava também. De súbito, reviam-na. Ela voltou a passar as tropas em revista. Mais ainda, em 1900, renunciou às suas férias no Sul da França para dirigir-se em visita oficial à Irlanda, onde não punha os pés havia 39 anos. Exatamente desde que o prefeito de Dublin devolvera um busto do príncipe consorte. Ela queria agora demonstrar sua gratidão aos soldados irlandeses que haviam lutado valentemente na África do Sul, durante a guerra dos bôeres. "Isso lhes dará prazer e lhes fará bem", explicou ela a Vicky.

Durante a década de 1860, sua reclusão e sua avareza haviam alimentado um movimento republicano. Os britânicos tinham a impressão de que pagavam muito caro uma monarquia invisível. Um artigo penetrante do *Times* levantara o problema da lista civil nestes termos: "What does she do with it?" [O que ela faz com isso?]. Mas bastara que ela reaparecesse, que exibisse aquela graça e aquela dignidade tão características de seus primeiros anos de reinado para reconquistar a afeição de seu povo.

Outros elementos de grandeza, involuntários, agiam em seu favor. Em primeiro lugar, a duração de seu reinado era tal que poucos de seus súditos haviam conhecido outro soberano. Ao longo dos anos, ela se tornava o único denominador comum entre a Inglaterra de 1830 e a de 1900. Quanto mais envelhecia, mais se tinha orgulho de ter aquela indomável velha dama à frente do Estado e mais seu poder simbólico adquiria peso. Se houvesse desaparecido na década de 1860, teria sido apenas um elo na cadeia: sua longevidade dava-lhe um peso histórico. Além disso, seus infortúnios pessoais, aproximando-a do comum dos mortais, contribuíram em certo sentido para a sua popularidade. Se a aflição excessiva da viúva acabara por exasperar a opinião pública, a morte sucessiva de seus filhos — Alice em 1878, Leopold em 1884, Alfred em 1900 —, de três de seus genros — o imperador da Alemanha em 1888, Luís de Hesse em 1892 e Henrique de Battenberg em 1896 — e, enfim, de seu neto e herdeiro direto, Eduardo, em 1892, comovera a multidão. É preciso acrescentar a essa lista os amigos que desapareciam também, notadamente Disraeli em 1881 e John Brown em 1883, perdas lamentadas abertamente pela rainha, que jamais ocultava seus sentimentos e não relutava em compartilhar seus pesares. Enfim, último componente de sua legenda, Vitória não evocava apenas a evidência reconfortante e banal de que nem a posição nem a fortuna nos põem a salvo do infortúnio, mas exprimia também a força vital em sua manifestação mais direta: seu formidável poder dinástico.

Por ocasião da celebração de seu jubileu, cercada por sua imensa família — uns trinta netos, quase quarenta bisnetos —, ela não parecia a própria encarnação de uma velha divindade matriarcal? Como o país não teria ficado lisonjeado pela homenagem prestada à sua soberana, a avó da Europa? A passagem do próprio ao figurado fazia-se muito naturalmente e favorecia a soberba confiança que os britânicos tinham na grandeza de sua nação e de sua civilização.

Que importava, então, que as grandes correntes intelectuais e sociais de sua época lhe tivessem sido estranhas? Seu grande senso do poder e da dignidade permitia-lhe satisfazer o humor imperialista da nação, que tinha tanta necessidade de uma mística quanto de êxitos comerciais e industriais.

Quanto mais a fé em um misterioso e extraordinário destino para a Inglaterra crescia, mais a necessidade de um símbolo se fazia sentir. Vitória o compreendeu instintivamente e desempenhou seu papel à perfeição. Assim, no fim de seu reinado, o poder político e efetivo do soberano havia praticamente desaparecido, mas o prestígio da coroa aumentara muito.

O milagre é que Vitória tenha conseguido quebrar a casca de sua personagem e tenha chegado até nós não cristalizada em um simbolismo imóvel, mas viva, diversa e contraditória.

# *NOTAS*

1. *A PEQUENA RAINHA* (pp. 13-34)

(1) Vitória à sua filha primogênita, a princesa herdeira, em 9 de junho de 1858.

(2) Princesa de Hohenlohe a Vitória, 1843.

(3) Leopold a Vitória, Laeken, 31 de agosto de 1832.

(4) Leopold a Vitória, Laeken, 22 de maio de 1832.

(5) Trata-se do duque de Saxe-Coburg, irmão mais velho de Leopold e da duquesa de Kent.

(6) Em francês no texto. As numerosas repetições e o estilo um pouco simplório atestam a espontaneidade de Vitória.

(7) Leopold a Vitória, 17 de junho de 1836.

(8) Leopold a Vitória, 18 de novembro de 1836.

(9) Leopold a Vitória, Trianon, 27 de outubro de 1837.

(10) Vitória a Leopold, 21 de novembro de 1836.

(11) Vitória a Leopold, 23 de janeiro de 1837.

(12) Vitória a Leopold, 30 de janeiro de 1837.

(13) Em francês no texto.

(14) Vitória a Leopold, 4 de abril de 1837.

(15) Leopold a Vitória, 13 de abril de 1837.

(16) Duquesa de Kent a Vitória, 13 de junho de 1837.

(17) Em francês no texto.

(18) Vitória a Leopold, 19 de junho de 1837.

(19) Greville, *Journal*, 1837.

(20) Em francês no texto.

(21) Leopold a Vitória, 12 de julho de 1837.

(22) Vitória a Leopold, 6 de junho de 1841.

(23) Ela alude aqui aos correios privados que os irmãos Rothschild utilizavam para comunicar-se entre si. Os banqueiros aceitavam encarregar-se das cartas de algumas pessoas escolhidas. Seus correios eram os mais rápidos da Europa e tinham a reputação de atravessar o canal com qualquer tempo.

(24) Diário de Vitória, 20 de outubro de 1838.

(25) Diário de Vitória, 13 de dezembro de 1838.
(26) Leopold a Vitória, 1º de junho de 1838.
(27) Vitória a Leopold, 5 de dezembro de 1838.
(28) Stockmar ao rei Leopold, citado por Jagow em *Letters of the prince consort.*
(29) Diário de Vitória, junho de 1839.
(30) Vitória a Leopold, 12 de outubro de 1839.
(31) Em francês no texto.
(32) Diário de Vitória, 11 de outubro de 1838.
(33) Albert à duquesa Marie de Saxe-Coburg, a segunda esposa de seu pai, Windsor, 5 de novembro de 1839.

2. *VITÓRIA EM FAMÍLIA* (pp. 35-54)

(1) Vitória a Albert, Castelo de Windsor, 27 de novembro de 1839.
(2) Vitória a Albert, Castelo de Windsor, 29 de novembro de 1839.
(3) Vitória a Albert, Castelo de Windsor, 8 de dezembro de 1839.
(4) Albert a Vitória, 22 de dezembro de 1839.
(5) Vitória a Albert, 27 de dezembro de 1839.
(6) Vitória a Albert, Palácio de Buckingham, 31 de janeiro de 1840.
(7) Citado por Ziegler em *Melbourne*, p. 314.
(8) Leopold a Vitória, 8 de fevereiro de 1840.
(9) Leopold a Vitória, 22 de maio de 1840.
(10) 25 de março de 1845, citada por Pound em *The prince consort.*
(11) 25 de setembro de 1845.
(12) Minuta das conversações entre Lord Melbourne e o barão Stockmar, relatadas por G. Anson, 28 de maio de 1840.
(13) A primogênita das filhas, Vitória, conservou seu título inglês de Princesa Real até sua ascensão ao trono da Alemanha em 1888. Era designada assim na Inglaterra. Na Prússia, era chamada de princesa herdeira. Depois de 1888, ela se fez chamar, nos dois países, imperatriz Frederico, do nome de seu marido.
(14) Albert a Ernest, 18 de maio de 1841.
(15) Vitória à princesa herdeira, 14 de abril de 1858.
(16) Em francês no texto.
(17) Vitória a Leopold, 5 de janeiro de 1841.
(18) Vitória a Leopold, 5 de janeiro de 1841.
(19) Vitória à princesa herdeira, 14 de abril de 1858.
(20) Albert ao príncipe William zu Lowenstein, 15 de maio de 1840.
(21) Albert a Vitória, 16 de janeiro de 1842.
(22) Vitória a Leopold, Palácio de Buckingham, 3 de maio de 1851.
(23) Vitória a Leopold, Palácio de Buckingham, 3 de fevereiro de 1852.
(24) Vitória a Leopold, 17 de fevereiro de 1852.
(25) Em francês no texto.
(26) Vitória a Leopold, 4 de abril de 1844.
(27) Vitória a Leopold, 12 de dezembro de 1843.

(28) Vitória a Leopold, 4 de junho de 1844.
(29) Vitória a Leopold, 17 de outubro de 1844.
(30) Vitória a Leopold, 14 de fevereiro de 1843.
(31) Vitória a Stockmar, 30 de julho de 1846.
(32) Vitória a Augusta, rainha da Prússia, 27 de agosto de 1854.
(33) Vitória à princesa herdeira, 15 de fevereiro de 1858. Ela o repete quase nos mesmos termos em 9 de junho de 1858.
(34) Vitória à princesa herdeira, 9 de junho de 1858.
(35) Em francês no texto.
(36) Vitória à princesa herdeira, 27 de abril de 1859.
(37) Vitória à princesa herdeira, 10 de abril de 1858.
(38) Vitória a Augusta, imperatriz da Alemanha, 1875.
(39) Vitória à princesa herdeira, 7 de novembro de 1860.
(40) Diário de Vitória, 19 de outubro de 1857.
(41) Vitória à princesa herdeira, 18 de dezembro de 1860.
(42) Vitória a Augusta, Balmoral, 6 de outubro de 1856.

3. *VITÓRIA, SEUS COLEGAS E A EUROPA DE 1848* (pp. 55-69)

(1) Albert a Stockmar, 6 de janeiro de 1846.
(2) Em francês no texto.
(3) Vitória a Leopold, 4 de junho de 1844.
(4) Custine, *Lettres de Russie*.
(5) Vitória a Leopold, 11 de junho de 1844.
(6) Vitória a Leopold, 4 de junho de 1844.
(7) Louise a Marie-Amélie, 9 de abril de 1845.
(8) Vitória a Leopold, 16 de outubro de 1840.
(9) Louise a Vitória, 5 e 7 de outubro de 1844.
(10) Vitória a Leopold, 17 de outubro de 1844.
(11) Vitória a Leopold, 14 de setembro de 1846.
(12) Marie-Amélie a Vitória, 8 de setembro de 1846, em francês.
(13) Vitória a Marie-Amélie, 10 de setembro de 1846, em francês.
(14) Vitória a Louise, 18 de setembro de 1846, em francês.
(15) Vitória a Leopold, 17 de novembro de 1846.
(16) Em francês.
(17) Em francês no texto.
(18) Vitória a Leopold, 11 de março de 1848.
(19) Vitória a Lord John Russell, 1º de junho de 1848.
(20) Frederico Guilherme a Vitória, 27 de fevereiro de 1848.
(21) Toda a carta é em francês; os torneios são, portanto, do czar!
(22) Albert a Lord John Russell, 10 de abirl de 1848.
(23) Vitória a Lord John Russell, 16 de abril de 1848.
(24) Vitória a Leopold, 18 de abril de 1848.
(25) Vitória a Lord John Russell, 20 de abril de 1848.

(26) Vitória a Leopold, 16 de maio de 1848.
(27) Vitória ao rei da Prússia, 5 de março de 1848.
(28) Vitória a Leopold, 16 de maio de 1848.
(29) Vitória a Leopold, 13 de dezembro de 1848.
(30) Vitória a Leopold, 18 de dezembro de 1848.
(31) Luís Napoleão a Vitória, Élysée National, 22 de janeiro de 1849. Em francês.
(32) Vitória a Leopold, 23 de dezembro de 1851.

4. *VITÓRIA E OS BONAPARTE* (pp. 70-87)

(1) Em uma carta datada de 2 de dezembro de 1851, Vitória declarara: "Não creio em uma explosão na França no momento!".
(2) Em francês no texto.
(3) Leopold a Vitória, 5 de dezembro de 1851.
(4) Em francês no texto.
(5) Vitória a Leopold, 30 de dezembro de 1851.
(6) Vitória a Leopold, 20 de janeiro de 1852.
(7) Vitória a Leopold, 4 de janeiro de 1853.
(8) Napoleão III a Vitória, Palácio das Tulherias, 25 de abril de 1855. Toda a correspondência deles é em francês.
(9) Essa não era a opinião das damas do séquito da rainha, que se queixavam da irrupção de lacaios em seus quartos e até em suas salas de banho, infelizmente privadas de trincos, da grosseria e da sujeira dos criados que se tratavam ruidosamente de imbecis, e, enfim, do gosto duvidoso da cozinha francesa (Cartas de Mary Bulteel).
(10) Vitória a Leopold, Saint-Cloud, 23 de agosto de 1855.
(11) Vitória a Stockmar, Osborne, 1º de setembro de 1855.
(12) Princesa herdeira a Vitória, 7 de setembro de 1870.
(13) Vitória a Eugênia, 10 de setembro de 1870; em francês.
(14) Diário de Vitória, 30 de novembro de 1870.
(15) Diário de Vitória, 5 de dezembro de 1870.
(16) Princesa herdeira a Vitória, 4 de janeiro de 1871.
(17) Em francês no texto.
(18) Diário de Vitória, 27 de março de 1871.
(19) Diário de Vitória, 9 de janeiro de 1873.
(20) Vitória a Théodore Martin, Osborne, 19 de janeiro de 1873.
(21) Diário de Vitória, 19 de junho de 1879.
(22) Em francês no texto.
(23) Diário de Vitória, 12 de julho de 1879.
(24) Moção condenando a construção da estátua.
(25) Vitória a Mr. Gladstone, 18 de julho de 1880.
(26) Eugênia morreu em 1920, aos 94 anos.

5. *A MORTE DE ALBERT* (pp. 88-103)

(1) Carta à princesa herdeira, 1º de outubro de 1861.
(2) Albert ao duque de Wellington, 6 de abril de 1850.
(3) Citado por Lytton Strachey em *Queen Victoria*, p. 300.
(4) Princesa herdeira a Vitória, 16 de dezembro de 1861.
(5) Vitória à princesa herdeira, 18 de dezembro de 1861.
(6) Vitória a Leopold, 16 de junho de 1863.
(7) Vitória à princesa herdeira, 8 de janeiro de 1858.
(8) Vitória à princesa herdeira, 8 de janeiro de 1862.
(9) Princesa herdeira a Vitória, 8 de janeiro de 1862.
(10) Vitória à princesa herdeira, 11 de janeiro de 1862.
(11) Princesa herdeira a Frederico, 11 de março de 1862.
(12) Vitória a Leopold, 24 de dezembro de 1861.
(13) Vitória à princesa herdeira, 18 de junho de 1862.
(14) Vitória à princesa herdeira, 2 de julho de 1862.
(15) Vitória à princesa herdeira, 10 de dezembro de 1859.
(16) Princesa herdeira a Vitória, 7 de dezembro de 1860.
(17) Vitória à princesa herdeira, 11 de janeiro de 1862.
(18) Vitória à princesa herdeira, 24 de janeiro de 1862.
(19) Diário de Vitória, 3 de setembro de 1862.
(20) Vitória à princesa herdeira, 8 de setembro de 1862.
(21) Vitória à princesa herdeira, 14 de junho de 1862.
(22) Vitória assistiu à cerimônia oculta em um gabinete afastado e recusou-se a presidir o grande almoço. "I lunched alone", anotou ela com uma satisfação sinistra.
(23) Vitória à princesa herdeira, 4 de fevereiro de 1863.
(24) Vitória à princesa herdeira, 18 de janeiro e 2 de abril de 1862.
(25) Vitória à princesa herdeira, 20 de novembro de 1862.
(26) Princesa herdeira a Vitória, 13 de dezembro de 1862.
(27) Vitória à princesa herdeira, 17 de dezembro de 1862.
(28) Vitória à princesa herdeira, 30 de dezembro de 1863.
(29) Vitória à princesa herdeira, 28 de julho de 1866. Ela própria nunca pretendeu ter sucumbido à morte de seus próprios filhos. À morte de seu filho hemofílico, Leopold, ela anotou: "Não podemos nos lamentar pelo próprio Leopold. Ele queria tantas coisas impossíveis para ele e essa tendência mais parecia aumentar que diminuir". Atitude sensata.
(30) Vitória à imperatriz Frederico, 26 de agosto de 1888.
(31) Vitória à princesa herdeira, 12 de novembro de 1863.
(32) Vitória a Leopold, 18 de maio de 1863.
(33) Vitória à princesa herdeira, 24 de janeiro de 1864.
(34) Vitória à princesa herdeira, 18 de julho de 1866.
(35) Vitória à princesa herdeira, 23 de dezembro de 1865.
(36) General Grey a Lord Stanley, 9 de outubro de 1868.
(37) Leopold a Vitória, Laeken, 21 de setembro de 1863.
(38) Leopold a Vitória, 15 de junho de 1864.
(39) Vitória a Leopold, 30 de junho de 1864.

6. *VIÚVA, SERVIDORES E ÓRFÃOS* (pp.104-16)

(1) Vitória à princesa herdeira, 8 de julho de 1868.
(2) Vitória à princesa herdeira, 10 de julho de 1868.
(3) Vitória à princesa herdeira, 2 de março de 1870.
(4) Uma franca bebedeira reinava em Balmoral entre os servidores. Vitória tinha todas as indulgências com seus queridos escoceses, e foi preciso esperar o reinado de Eduardo VII para que o uso da garrafa individual fosse abandonado e os *gillies* fossem prevenidos de que seriam demitidos sem pensão se fossem surpreendidos em estado de embriaguez durante seu serviço.
(5) Vitória a Leopold, Balmoral, 21 de outubro de 1861.
(6) Vitória à princesa herdeira, 5 de abril de 1865.
(7) Vitória a Lady Biddulph, 26 de dezembro de 1866.

7. *DE HANOVER A WINDSOR* (pp. 117-36)

(1) Vitória a Vitória de Hesse, 11 de outubro de 1884.
(2) Vitória a Vitória de Hesse, 8 de dezembro de 1884.
(3) As quatro meninas tiveram destinos bem diferentes: Vitória desposou o príncipe de Battenberg e viveu na Inglaterra, onde adotou o nome de Mountbatten durante a Primeira Guerra (1860-1950). Ella desposou o grão-duque Serge, assassinado em 1905. Foi lançada em um mina em 1918 (1864-1918). Irene desposou seu primo irmão, Henrique da Prússia, irmão caçula de Guilherme II (1866-1953). Alix, dita Alicky, depois Alexandra, foi a última imperatriz da Rússia (1872-1918).
(4) Vitória a Vitória de Hesse, 2 de maio de 1887.
(5) Vitória a Lord Clarendon, outubro de 1857.
(6) Bismarck ao general von Gerlach, 8 de abril de 1858.
(7) Princesa herdeira a Vitória, 12 de janeiro de 1869.
(8) Citado por Hardie em *Political influence of queen Victoria*.
(9) Lord Granville a Vitória, 16 de julho de 1880.
(10) Vitória à princesa herdeira, 31 de maio de 1864.
(11) Diário de Vitória, 19 de março de 1866.
(12) Princesa herdeira a Vitória, 20 de março de 1866.
(13) Vitória ao rei da Prússia, 10 de abril de 1866.
(14) Princesa herdeira a Vitória, 12 de março de 1870.
(15) Clarendon a Vitória, 14 de março de 1870.
(16) Vitória à princesa herdeira, 15 de fevereiro de 1878.
(17) Vitória a Leopold, 19 de novembro de 1863.
(18) Princesa herdeira a Vitória, 13 de abril de 1864.
(19) Vitória à princesa herdeira, 14 de julho de 1864.
(20) Vitória à princesa herdeira, 1º de agosto de 1866.
(21) Princesa herdeira a Vitória, 10 de agosto de 1866.
(22) Vitória à princesa herdeira, 30 de agosto e 2 de setembro de 1870.
(23) Vitória à princesa herdeira, 2 de setembro de 1870.
(24) Vitória à princesa herdeira, 4 de novembro de 1870.

(25) Vitória ao príncipe de Gales, 29 de novembro de 1869.

(26) Vitória à princesa herdeira, 21 de abril de 1866 e 2 de maio de 1868.

(27) Vitória à princesa herdeira, 11 de outubro de 1870.

(28) Vitória à princesa herdeira, 18 de outubro de 1870.

(29) Vitória à princesa herdeira, 1º de novembro de 1870.

(30) Vitória à princesa herdeira, 30 de novembro de 1870.

(31) Diário de Vitória, 2 de março de 1878.

(32) Diário de Vitória, 1º de novembro de 1881.

(33) Vitória à imperatriz Augusta, 1º de julho de 1873.

(34) Vitória à imperatriz Frederico, 31 de agosto de 1889.

(35) Vitória à imperatriz Frederico, agosto de 1889.

(36) Princesa Mary a Augusta Strelitz.

(37) Vitória a Vitória de Hesse, 3 de setembro de 1886.

(38) Diário de Vitória, 20 de abril de 1894.

(39) Vitória a Vitória de Hesse, 21 de outubro de 1894.

(40) Diário de Vitória, 1º de novembro de 1894.

(41) A mãe de Nicolau, a imperatriz Maria, era irmã da princesa de Gales, Alexandra, e as duas mulheres haviam permanecido muito ligadas.

(42) Diário de Vitória, junho de 1894.

(43) Nicolau II à imperatriz Maria, 14 de junho de 1894.

(44) Nicolau II à imperatriz Maria, 29 de junho de 1894.

(45) Diminutivo habitual de Nicolau II.

(46) Imperatriz Frederico a Vitória, 31 de agosto de 1898.

(47) Diário de Vitória, 19 de agosto de 1891.

(48) Imperatriz Frederico a Vitória, 21 de agosto de 1891.

(49) Vitória a Lord Salisbury, 15 de outubro de 1888.

(50) Vitória a Guilherme II, 12 de junho de 1899.

(51) Vitória a Lord Salisbury, 14 de janeiro de 1896.

(52) Telegrama de Vitória a Lord Salisbury, 30 de janeiro de 1898.

(53) Vitória a Nicolau II, 1º de março de 1899.

8. *A GRANDE RAINHA BRANCA* (pp. 137-53)

(1) Discurso de Chamberlain, citado por Henry Ponsonby in *Queen Victoria*, p. 300.

(2) Diário de Vitória, 22 de junho de 1897.

(3) Vitória à princesa herdeira, 18 de dezembro de 1867.

(4) Princesa herdeira a Vitória, 30 de janeiro de 1871.

(5) Vitória à princesa herdeira, 10 de fevereiro de 1871.

(6) Vitória à princesa herdeira, 1º de fevereiro de 1871.

(7) Diário de Vitória, 11 de fevereiro de 1886.

(8) Diário de Vitória, 11 de junho de 1870.

(9) Vitória à princesa herdeira, 27 de abril de 1859.

(10) Vitória a Gladstone, 22 de outubro de 1872.

(11) Vitória a Gladstone, 11 de junho de 1880.

(12) Diário de Vitória, 13 de julho de 1894.

(13) Vitória à princesa herdeira, 26 de fevereiro de 1868.

(14) Princesa herdeira a Vitória, 2 de março de 1868.

(15) H. G. Wells, em *Experiment in autobiography*.

(16) Vitória a Gladstone, 10 de fevereiro de 1870.

(17) Vitória a Gladstone, 6 de maio de 1870.

(18) Vitória a Gladstone, 10 de agosto de 1871.

(19) Citado por Magnus em *Gladstone*.

(20) Citado por Guedalla em *The queen and Mr. Gladstone.*

(21) Lembranças da rainha da Romênia, citado por Alan Hardy in *Queen Victoria was amused.*

# *BIBLIOGRAFIA*


*1. CORRESPONDÊNCIA E DIÁRIOS:*

*The letters of queen Victoria,* A selection from her Majesty's Correspondance, First Series, 1837-1861, editado por A. C. Benson e Viscount Esher (3 volumes, John Murray Ltd., 1907). Second Series, 1862-1885, editado por G. E. Buckle (3 volumes, John Murray Ltd., 1926). Third Series, 1886-1901, editado por G. E. Buckle (3 volumes, John Murray Ltd., 1930).

As cartas da rainha Vitória à sua filha primogênita formam o conjunto das *Kronberg letters.* Uma seleção em três volumes foi feita por Roger Fulford: *Dearest child*; letters between Queen Victoria and the Princess Royal; 1858-1861 (Evans Brothers Ltd, 1964); *Dearest mama*; 1862-1864 (Evans Brothers Ltd., 1968); *Your dear letter*; 1865-1871 (Charles Scribner's Sons, 1971).

Um conjunto de cartas da rainha Vitória à sua neta, Vitória de Hesse, foi publicado, sob o título de *Advice to my grand-daughter*, por Richard Hough (Simon and Schuster, 1975).

Um conjunto de cartas do príncipe consorte foi publicado por Kurt Jagow em uma tradução de E. T. S. Dugdale (Dutton, 1938).

Uma seleção das cartas da imperatriz Frederico, filha primogênita da rainha Vitória, foi estabelecida por Sir Frederick Ponsonby: *Letters of the empress Frederick* (Macmillan, 1928).

*2. ENTRE AS NUMEROSÍSSIMAS OBRAS CONSAGRADAS À RAINHA VITÓRIA E A SEUS PRÓXIMOS, CITAREI APENAS:*

Elizabeth Longford, *Born to succeed.* Harper and Row, 1964. A melhor e mais recente biografia de Vitória.

Lytton Strachey, *Queen Victoria.* Harcourt, Brace and Co., 1921.

Henry Ponsonby, *Queen Victoria.* Macmillan, 1933.

Roger Fulford, *From Hanover to Windsor.* Macmillan, 1960.

Roger Fulford, *The prince consort.* Macmillan, 1949.

Frederic Ponsonby, *Recollections of three reigns*. Dutton, 1952.

Frank Hardie, *The political influence of queen Victoria.* Londres, Oxford University Press, 1935.

ESTA OBRA FOI COMPOSTA PELA HELVÉTICA EDITORIAL EM TIMES E IMPRESSA PELA PROL EDITORA GRÁFICA EM OFF-SET SOBRE PAPEL PÓLEN SOFT DA COMPANHIA SUZANO PARA A EDITORA SCHWARCZ EM JUNHO DE 1999.